LONG LIFE DESIGN

d

あのひとのための
デザイン

経済優先の社会では、憧れは人工的に作られ、身の丈に合わない、実際の生活とはかけ離れた絵にかいた理想のような暮らしを、様々な生活用品を揃えれば手に入るとされてきました。

戦後、高度経済成長から続く海外への憧れによって「デザイン」とはそれを意識し、それを追うもの、ことを指してきました。
何もかも人口の多い大都市にエネルギーを使い集め、マスメディアによって消費を焚き付けられてきた私たちは、本当の「自分」や「暮らし」への実感もないまま、ここまで来ました。

そしてグローバル化、震災、新型コロナウィルスの感染拡大などにより、私たちは強制的ではありますが、手に入れたのです。「健やかな思想」を。
実感の持てる楽しく豊かな暮らしを。

徐々に熱を帯びる昨今の「民藝運動」への注目は、もちろん、そうした社会背景により私たちが求め、たどり着いたものと大いにリンクしています。思考が変わりはじめた私たちが呼び寄せたと言っても過言ではないと思うのです。

少し横道に逸れますが、哲学者であり民藝思想の生みの親である柳宗悦によるそれは、建築系メディアが生んだブームによって大きく誤解をされ今に至っています。
その誤解とは息子である柳宗理ブームによる「用の美」という紐付け。
本来は心の美しさをモノと紐づけて宗教的に感じる運動であったはずが、いつの間にか「機能性の高いものは、美しい」というプロダクトデザイン論にすり替わり、大切な「健やかさ」の部分がいつの間にか、埋もれて見えなくなっていきました。
民藝運動とはデザイン論である前に、宗教的な美学。作り手の心が清く澄んでいることで、信じられないような美しいものが、美だけを意識して作為的に作られたもの

を超えて、素朴で美しく、思いやりに満ちて温かく丈夫。
つまり「作為的ではなく」「祈るような澄んだ心」で一点
ものの芸術作品ではなく「適度に量産された」ものに宿る
「美しさ」。

そうした本来の民藝運動にあることと、私たち現代に生
きる生活者が様々な日々の中に求め始めたものとが一致
し始めている。それがまさにこれから本格的にブームの
ように起こってくる民藝思想であり、私たちは会った事も
ないひとのためのモノづくりへの違和感や、よく分からな
い大量生産への思考を自然に捨て、何が健康的なのかを
探しはじめています。
メーカーは架空の推定ターゲットにむけたモノづくりか
ら、あのひとのためのモノづくりへ。

消費者と呼ばれてきた私たちは、生活者としてつながり
続けられるモノづくりが、楽しく健やかな暮らしとセット
であることに気づく。

「デザイン」は、一昔前のそうした前提から脱し、民藝ブームの力も借りて、意味を進化させ始めています。都会を離れ健やかにうまれたもので生活をしようとし始めている「それに気づいた」人々によって。

この「LONG LIFE DESIGN 2 祈りのデザイン展—47都道府県の民藝的な現代デザイン—」は47の日本各地にある「どうしてか分からないけれど、心惹かれる適度に量産されているもの」を、民藝思想の中で柳宗悦が特に強調する「直観」で選び、並べてみてから、その理由を探っていくものです。

メディアやSNSなどの情報を挟まず、「なんか、いいね」というものの中でも最上級にそう思ったものたちを並べて眺めながら、未来のものづくりのあるべき姿を見いだし、そこにこそ「デザイン」と言う呼び名をつけようと願うものです。

日本はこれから自分たちらしさに基づいた文化大国へ進

んでいくと思います。

それには、私たち日本人がこの国に暮らし、どういう思考でモノを作り、使うのか。

その底辺が変わりつつある今にあることに、意識を集中させるべきだと思うのです。

貧困問題などを抱えながらも、まだまだモノにすがる私たち消費大国日本にとって、

澄んだ心を取り戻すことこそが、私たちらしいモノづくりの第一歩になると願って。

d47 MUSEUM 創設者
D&DEPARTMENT ディレクター
デザイン活動家

ナガオカケンメイ

目次

凡例
各県ページ：「商品名または名称／価格／メーカーまたは運営会社など／デザイナー」
p.158〜194：「商品／メーカーまたは販売元／アイテム／デザイナー」もしくは、「施設／アイテム／デザイナー」
ナガ：文 ナガオカケンメイ

どうしてか心奪われる。

誰がデザインしたとか、
どこで作られたとか、
何も知らないのに。

北海道

模様という存在に心から惹かれて、
大昔からつづくその表現で
土地の物語を描く。

クッションカバー ニット「hayashi」 各 ¥4,620 ／点と線模様製作所／岡理恵子

テキスタイルデザイナーの岡理恵子は、2008年から北海道を拠点に活動を開始。身の
回りにある風景や植物、冬の寒さや雨の音などをデザインソースにして、「暮らしの中で
ともに過ごしていける模様」を目指している。「hayashi」の模様は、様々な種類の樹木が
ある日本の雑木林を描き、木々の間を風が吹き抜ける様子を表現している。

まず、意味もなく模様に惹かれていく岡さんの様子に、動物的な直感のような、何かに
揺り動かされているようなものを想像できました。ずっとずっと模様を描いていたいと
いう極シンプルな意志は、やがて住み慣れた場所の風景やそこらにあるものを描き始め
る。そして雨や北の雪の寒さなど、その対象は形の見えないものに広がっていきます。
一つ一つの点と線に込められた想い。 ナガ

青森

忙しい農家の仕事がない時の、
のどかな集まりの時間。
家族や大切な人に思いを馳せながら
着物を刺し綴った
名もなき農家の娘達の素朴な愛情。

二ツ折名刺入れ　各 ¥2,420 ／弘前こぎん研究所／柄の作者は不明

1942年創業、津軽地方に伝わる「こぎん刺し」を次世代に受け継ぐために活動する「弘前こぎん研究所」。弘前市内の70人程の刺し手により、全て手刺しの製品づくりをすることで、伝統の素材と技術そのものを守り続けている。名刺入れやブックカバー、テーブルセンターなど、今の生活に合わせたアイテムを手がけ、国内外に発信している。

座る暇もない忙しい農家にとっての唯一の座り仕事でもあり、雨の日や冬場、農作業がない時の仕事として、続いてきた物語を大切に受け継ぐものづくり。当時は嫁入り道具として身頃を刺した布を用意して、結婚相手が決まってから着物を仕立てたこともあったようです。昔からの技法、素材、模様を変えないで、農家の娘達の素朴な愛情を後の世代の人々に伝えること。ナガ

岩手

父が残してくれた図面や作品を辿り、
その想いで土地から採れる
砂や鉄でつくる形。

栓抜き［左から］154、159　各¥1,298 ／小片口［上から］井、瓢箪、三葉
各¥1,540 ／釜定 ／宮伸穂

1908年創業、盛岡市に工房と店舗を構える「釜定」。品質の良さはもちろん、「シンプル
で美しく、実用的であること」を大切に、自己表現ではなく、誰かのためのものづくりに
取り組む。400年以上、桃山時代から変わることのない南部鉄器の伝統的な技術を活
用し、鉄瓶や鉄鍋だけでなく、鍋敷きや栓抜きなどの日用品も手がける。

自然素材を使い、手を動かし、ゼロから何かを完成させる昔ながらのものづくりの姿
は、人にとって経済活動以上に大切なことだという。父親のものづくりをのちに受け継
ごうと意識してからの出発は、その想いや発想の根っこが、やはり鋳物づくりに必要な
鉄や木炭、砂などが揃う自然が整えた自身の暮らす土地にあると感じ、自然に土地から
生まれたような無理のない形をつくる。ナガ

宮城

あの人のために編んでいる。
あの人が、自分の服を編んでくれているという
小さくて代え難いつながりから生まれる
美しいニット。

MM01　¥154,000／気仙沼ニッティング／三國万里子

東日本大震災をきっかけに、地域の人が誇りを持って取り組める仕事をつくろうと、2012年に「ほぼ日刊イトイ新聞」の震災支援プロジェクトとして発足。翌年、株式会社として独立した。「MM01」は完全オーダーメイドで、完成までの数か月、編み上がる様子がメールで送られてくる。編み手は商品に付く似顔絵札で分かるようになっている。

震災をきっかけに始まったニットづくりは、その記憶と一緒に、誇りを持った意志が根底にある。時間のかかる一人一人の編み手の個性はそのままに、欲しい人と編んでいる人の間にデザインがちゃんとある。金額や時間は普通の商品よりもかかるけれど、そこにある無理のない当たり前には、気持ちよく納得し、信じられる。健やかに望まれ生まれるデザイン。ナガ

秋田

地域が残したい祈りたちを
楽しくショップにする。
誰でもが立ち寄り、
その様子を手に取れる。

小松クラフトスペース／真坂人形 なまはげ（真坂歩）、秋田人形道祖神プロジェクト刊
『村を守る不思議な神様』（イラスト・コラム：宮原葉月、文：小松和彦、装丁：小口翔平）
／人形 各 ¥3,850 ／ 書籍 ¥1,300

美術工芸作品を展示・販売するアートクラフトギャラリー。三代目店主の小松和彦は郷
土史研究家として活動、秋田県内に150か所ある民間信仰の神々を徹底的にリサーチ。
『村を守る不思議な神様 あきた人形道祖神めぐり』などを発刊。取り扱い商品の「真
坂人形 なまはげ」は、秋田出身の土人形作家・真坂歩が手がける。

この場所は、秋田の地域ごとの祈りを時にはTシャツなどのグッズに、時には難しい民
俗学研究書ではなく絵本にして、いつもたくさんの人がそのメッセージに触れられるよ
うに開かれた祈りのストア。長らく続いてきた村人しか知らなかったことも、この場所を
通じて、みんなで気軽に知って、関心を沸かせ、保存継続するきっかけとする「どこの町
にも必要な」デザインのお手本。**ナガ**

山形

昔のお肉屋さんが
手際よく包んでグラム数を
マジックで書いたような。

市プロジェクト「山の面々」／アカオニ

「アカるく、すなオニ」をモットーとする「アカオニ」。「本質の見えるウソのないデザイン」を通して、関わる様々なものや人と正しい関係を築くべく、地元企業のパッケージやポスター、ウェブサイトなどを手がける。オフィスを構える「とんがりビル」は、セレクトショップやギャラリーが入居している。

「馬鹿正直なもの」「いびつな個性」「不器用で熱い想い」。代表の小板橋基希さんの好きなことです。依頼者の手仕事を思い、それと同じくらいの手仕事でつくろうとするデザイン。地元に長く続く物語を受け持つ山伏との創作や、地元の童話からつけた事務所の名前など。常に山形から世界へ、を、目指すからこそ生まれる発想力は、山形の地に根付いている。商業デザインのこれからのゆったり感。ナガ

福島

日本酒が国際的に変化、進化していく中で
日本人が昔から変わらずに思う
日本酒をつくる。

人気一 令和二年 全国新酒鑑評会 入賞酒 720ml ¥5,500 ／人気酒造／
柿木原政広(10)

1897年創業、2011年の東日本大震災後に二本松市山田に移転。安達太良山の伏流水
を活かし、木製の大桶で醸造するなど、伝統的な技術と製法にこだわる。日本酒が飲み
きるのに数日かかることが多いと考え、空間を演出できる美しいラベルデザインにした
いという思いから、日本の四季の美が刻印されたオリジナルボトルが生まれた。

食の価値観が諸外国と違う日本。国際化していく中で、生酒、生酛や山廃造り、木桶で
発酵させたり、樽に貯蔵したりと、世界の食のシーンに対応するように進化する日本酒
の世界で、長く守られ続けてきた本来の日本酒を大切に続けたいと、真田紐の結びや熨
斗を連想させる木箱デザインなども活用し、日本の文化を新しく魅せていくことを健や
かに続けている。 ナガ

茨城

長い時間をかけて
その場所になっていく石灯籠。
100年経ってもそこにあるものづくり。

真壁よせとうろう 火袋 丸型 ¥44,000／真壁石材協同組合／岩井太志（一デザイン室）

関連する107社により設立された「真壁石材協同組合」。コンクリートの普及以前、真壁
地区で採れる「常陸こみかげ石」は、その良質さから公共の建物等に使われた。1995年
に「真壁石燈籠」が伝統的工芸品に認定。今の暮らしに合わせ小ぶりにした「よせとうろ
う」は、そばに置いて安らぎを感じるようにと、自然物に近い丸みをもたせている。

石が採れる土地は、その風景に人と石による風情がつくられていく。質の高い御影石が
採れる真壁地区もそんな場所のひとつ。便利なコンクリートが広まれば広まる程、自然
の中から見つけ出し、ひとつひとつに手のかかる石は、だからこその素養で長い時間に
耐え、そして、土地の風情をつくり出せる。苔や雨風によって馴染んでいく石灯籠に、遠
い時間のその先を想う。ナガ

栃木

ひとの手によって開発されてきた自然を
逆に再びひとの手と叡智によって戻す
新しい庭園。

アートビオトープ 水庭／ニキシモ／石上純也（石上純也建築設計事務所）

2018年、那須のリゾート「アートビオトープ」に隣接する敷地に「水庭」が誕生。緻密な
計算によって配置された318本の樹々と大小160の池とが織り成す建築としての庭は、
日頃の喧騒を離れ、心身のあるべき姿を取り戻す場所として、自然と身体と対話するた
めの特別なメディテーション空間。

「水庭」に初めて行った時の戸惑い、感動、美しさは一体なんだったのかを、時々、自然
が大きく人の手によって破壊される風景に出会うたびに思い出す。そこも開発によって
伐採される予定となった318本の樹々でできているからかもしれない。人ができうる発
想で、自然を自然のまま移動させ、新しく創造されたその庭は、結果、人と自然の関係
について考えさせてくれる。 **ナガ**

群馬

全ては素材ありき。

その糸への想いは、技術と発想を得て、

膨らんで立体の粒になった。

000（トリプル・オゥ）スフィア・プラス60　¥3,850 ／笠盛／片倉洋一

1877年創業、桐生市の老舗刺繍 メーカー「笠盛」のファクトリーブランド。「0」に還って常に見つめ直したいことを「素材・技術・発想」の3つと考えたことから、「000」と名付けられた。刺繍を使って全く新しい価値観が提供できればと、糸のみでできた軽くて、金属アレルギーの心配のないアクセサリーが生まれた。

トリプル・オゥの3つの「0」とは、「素材・技術・発想」だと聞く。それを紐解くと織物産地に続いてきた「糸」への想い。そして、140年以上続く職人技。最後はそんな技を持っているからこそ、何か全く新しいものをつくり出したいという気持ち。今ではほつれを直し、汚れたら洗う洗剤までつくろうとしている。全ては一本の糸への想いがあるから。ありそうで出来なかった形。ナガ

なぜ、これは民藝で、
それは民藝ではないのか。
民藝運動の輪郭から
健やかなものづくりを観る。

「アウト・オブ・民藝」という名前で活動する
軸原ヨウスケさんと中村裕太さんは、民藝の相
関図を書きながら、そこに居そうな人たち、もの
づくりの、でも居ない理由を独自に研究して、民
藝的なものづくりを結果、浮き彫りにして見せて
くれる二人。民藝は未来はどうなっていくのか、
聞いてみました。

軸原ヨウスケ・中村裕太 『アウト・オブ・民藝』共著者

聞き手 ナガオカケンメイ ／ 文 西山薫

民衆運動の周辺で活動していた
"忘れられたネットワーク"を掘り起こす。

まず、お二人が「アウト・オブ・民藝」という活動を始めたきっか
けを教えてください。

軸原ヨウスケ（以下、軸原）　2014年頃、あるワークショップで中
村裕太くんと出会い、そのときの打ち上げで民藝運動の周辺が面
白いよね、という話で盛り上がりました。民藝的でありながら、「民
藝」から外れたものがあり、そこはあまり深掘りも言語化もされて
いない。そんな民藝運動の周辺で活動していた"忘れられた人た
ち"や"民藝運動から外れたモノ"を掘り起こしてみようと、意気
投合しました。

中村裕太（以下、中村）　実際に活動を始めた
のは、2018年からです。京都の書店・誠光社
での全5回のトークをまとめたのが『アウト・
オブ・民藝』（誠光社・2019年）になります。

軸原ヨウスケ・中村裕太 共著
『アウト・オブ・民藝』誠光社、
2019年

民藝に対して、お二人とも思い入れがあった
んですか。

軸原　そうですね。僕は郷土玩具やこけしが好きなのですが、民藝から外されているな、とずっと感じていて、ちょっと悔しいなと思っていました。中村くんは、工芸から興味を持っていたんですよね。

中村　僕は大学で陶芸を学んでいました。陶芸や工芸の歴史を学んでいるとき、関心を持ったのが富本憲吉という陶芸家です。彼のことを調べていたら、もともと民藝運動に関わっていたことや、ある時期から民藝運動と距離を置き、個人作家として活動していたことが分かりました。同じような動きは、おそらく他の作家にもあったはずです。その考えをもとに、軸原さんと話を進める中で、民藝運動の周辺には、たくさんの作家がいて、工芸に対するアイデアや考え方のバリエーションがもっとあったのではないかと仮説を立てました。

　最初は戦前の文献などを持ち寄り、それを見せあっていました。すると、軸原さんが関心のある郷土玩具やこけしを取り巻く人やネットワークと、僕が関心のある陶芸家や建築家が意外とリンクしていることが分かってきました。そこから、民藝を中心に、その周辺にいた人々の関係を相関図にしてつないでいくというアイデアに広がっていきました。だから、「アウト・オブ」といっても決して民藝批判ではないんですよ。

アウト・オブ・民藝の名称は、どうやって考えたのですか。

中村　軸原さんから出てきた言葉でしたよね。

軸原　民藝運動に近いところで活動していたり、民藝とはくくられ
ていない手仕事の玩具や版画、その作り手のことを、どう呼べばい
いか考えたとき、アウト・オブ・民藝という言葉でしか表現できない
と思って使っていました。

お二人の活動は、どこに向かっているんですか。

「アウト・オブ・民藝｜秋田雪橇編 タウトと勝平」秋田公立美術大学ギャラリーBIYONG POINT、2020年。
撮影：草彅 裕

中村　掘れば掘るほど、いろいろつながりが見えてくるので、その
つながりを可視化していくことは、これからもつづけたいと思ってい
ます。あとは、今は戦前の活動を中心に見ていますが、戦後の話に
も関心があります。

軸原　そうですね。ただ、戦後まで広げていくと、民藝という言葉
の捉え方が難しくなりますよね。今、僕らが見ているのは柳宗悦が
提唱していた戦前の民藝運動の周辺ですが、フィールドを広げたと
き、民藝をどういう言葉で伝えていくか。それは、今後考えるべきこ
とだと思っています。

掘り下げていくことで、社会に何を訴えていくのでしょうか。

軸原　僕は戦前の好きな作家や版元、お店などたくさんあるんです
けど、その多くが語られる文脈すら忘れられて誰にも語られていな
い。それら諸々を、民藝運動と同じようなステージに上げたいと思っ
ています。まずは、そこを目指しています。

中村　民藝を考えるとき、正統な文脈だけではなく、周辺から捉
えることで見えてくる民藝の面白さがあることを知ってもらいた
い。軸原さんの言うように、民藝を再解釈していくことは目的の一
つだと思っています。

アウト・オブ・民藝という名称の印象から、攻めているように見えるけど、 そうじゃないんですね。そこも面白い。あくまでも研究といった感じでしょうか。

中村　部活のほうが近いですね（笑）。

軸原　2018 年から開催しているアウト・オブ・民藝のトークイベントも「なかよしトーク」と題して、基本的には各自が気になっていることや関心事を楽しく話しています。

今の時代の棟方志功は、
民藝から離れたもっと外側にいるかもしれない。

現在の民藝を、どう見ていますか。

軸原　変化していると感じています。日本民藝協会が発行している雑誌『民藝』も、 内容が変わってきましたよね。初期の民藝運動の活動家で、 後に日本民藝協会を退会して独自の活動を行っていた三宅忠一を特集していたり、 世界の玩具を紹介していたり。以前より柔らかくなってきた印象があります。

福岡の工芸店「工藝風向」の店主で、D&DEPARTMENT が発行した書籍『わかりやすい民藝』の著者でもある高木崇雄さんが雑誌『民藝』の編集に参加し、2020年に編集長にもなりました。その影響もありそうですね。

軸原　おこがましいですが、アップデートするようないい方向に変わってきましたよね。柳宗悦の理論だけでは、当時と時代背景が大きく変わり過ぎたこともあり、限界があるとも感じていました。

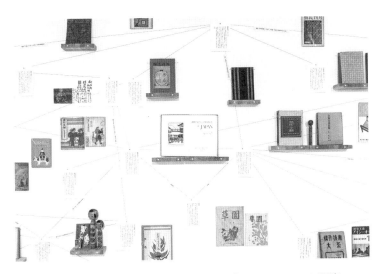

「アウト・オブ・民藝｜秋田雪橇編 タウトと勝平」秋田公立美術大学ギャラリーBIYONG POINT、2020年。
撮影：草彅 裕

中村　そもそも、柳宗悦は民藝の思想を確立したことで知られていますが、文芸雑誌『白樺』を発行したり、神秘学や仏教を研究していたりする。そうした柳宗悦の「アウト・オブ」を探るのも面白そう。

軸原　たしかに。芹沢銈介も、型染め作家という印象が強いですが、最初は農民美術運動に影響を受けて「この花会」というグループを作って手芸をやっていました。最近手にした大正時代の雑誌に、芹沢銈介による初期の手芸作品が掲載されています。

中村　民藝運動のステートメントは一貫しているけど、捉え方は時代とともに変化していますよね。そういった動きも、周辺から民藝運動を見ていると分かります。たとえば、1920年代は柳宗悦たちが自ら民藝品を収集することが主な目的でした。その後、1930年代になると、地方の職人たちがつくったものを、百貨店で販売するようになる。そんな風に民藝運動も変わっていますよね。
　1930年代に鳥取で「新作民藝運動」を展開した吉田璋也が1955年頃に話した肉声の音源があります。その中で、高度経済成長期で産業化が進んでいる戦後の日本において、民藝の理論は更新していくべきだと述べていました。いつの時代も、解釈を変えながら活動していたんですね。それが、現代もつづいている。そうした時間性も民藝の周辺から見ると、新たな捉え方ができるかもし

れません。

軸原　民藝の面白さは、ある意味、矛盾があることだと思っています。論理的なようだけど感覚的なので、ロジカルに突き詰めていくと矛盾が見えてくる。それが柳宗悦の熱量でもあり、魅力でもあるんですよね。それと、民藝には誤解も多い。玩具も版画も「民藝」なのか、とか「民芸」なのか「民藝」なのか、とか。その線引きは難しく、まずは「民藝」という言葉が出来た時の経緯や背景、定義をちゃんと見極めることが大切だと思っています。
今の時代の棟方志功も、柳宗悦がいないと決められないような気がする。

どうしたらいいと思いますか。今回の展覧会は「現在の棟方志功を探そう」というテーマで始まったのですが……。

中村　今の時代の棟方志功は、僕らが思っているよりも民藝から離れたもっと外側にいるのかもしれません。柳宗悦たちの民藝運動もそもそもはモダンアートの「アウト・オブ」だったはず。外側に目を向ける姿勢は、柳宗悦にもあったものですよね。そう考えると、僕らのアウト・オブ・民藝の捉え方も、拡張していくことがポイントだと思っています。主婦の人がつくっているものとか、子どもの工作とか。外側には、色々な面白いものがもっとあるはずです。

軸原　手仕事に喜びがある、という意味において、誰でもできるとか、プロフェッショナルじゃなくてもできるもののほうが、美しいという考えもあるかもしれない。そういった諸々をどう捉えていくか。考えていくべきことだと思っています。

＊ アウト・オブ・民藝
軸原ヨウスケと中村裕太が行う「民藝」の周辺をめぐるリサーチ活動。民藝運動の周縁的な動向にまつわる人物、物品、出版社などのネットワークに注目し、そのつながりを「相関図」によって浮かび上がらせる。京都の書店「誠光社」でのトークと資料展示をもとに、『アウト・オブ・民藝』(誠光社・2019年) を刊行。主な展示に「秋田雪橇編タウトと勝平」(秋田公立美術大学ギャラリーBIYONG POINT・2020年)、「東京物欲編 百貨店と趣味の店」(日本橋髙島屋・2020年)。

軸原ヨウスケ　Yosuke Jikuhara
1978年生まれ。デザインユニット COCHAE (2003年 ―) のメンバーであり、デザイナー。こけしをはじめ、郷土玩具に興味を持つ。 cochae.com

中村裕太　Yuta Nakamura
1983年生まれ。京都精華大学芸術学部特任講師。〈民俗と建築にまつわる工芸〉という視点から陶磁器、タイルなどの学術研究と作品制作を行なう。
nakamurayuta.jp

埼玉

感じる形をどこからか与えられたようにつくる。
そのために自ら畑で材料を育てる。

手すき和紙　鳥かご　¥2,200 ／森田千晶

小川町和紙体験学習センターでの講座受講がきっかけで、同センターに勤務。オランダ
留学後に独立し、和紙作家として工房「アトリエ路線脇」を設立。毎年、和紙の原料であ
る楮をアトリエの敷地内で育て、収穫から原料の加工までを自ら行ない、自然との繋が
りを感じさせる、細かな柄が透けるような繊細な手すき和紙を手がける。

正直言って、ただ自分が心から楽しく創作しているだけ、という森田さん。太古から通
じる場を清めるための紙になったらいいなぁと、誰かの何かのためにではない、自分の
心と向き合うような創作をしていました。そのためには、どうしても材料の楮を、土に植
え、つくらなければならないと思ったそうです。どこからともなくやってくる形。自分の中
から純真に出てくる形。**ナガ**

千葉

余計なことをしないことが、
美しいガラスの形をつくること。

Duo（デュオ）オールド　各 ¥2,350 ／菅原工芸硝子／インハウスデザイナー

江東区にて1932年に創業、1961年に九十九里に工房を設立。ガラス素材に魅せられた職人が集まり、日常の暮らしで気兼ねなく使えるものをテーマに製作する。Duo シリーズは成形には型を使うが、ガラスの重なりの部分に手づくりならではの揺らぎを取り入れるなど、手作業と工業製品が共存する、他には真似できない技法でつくられる。

1,400度の水飴のような状態のガラスが、一番ツヤがあり美しいという。手を加えていけばいくほど、それは失せていく。手で触れられず、一瞬で形を探しはじめるガラス。だから50年やってもまだ、今日もガラスと形をつくりたいと思うという。一瞬で混ざり合うガラスは、声をきき、話しかけないとうまくいかない。偶然ではない美しい形や色は、そうして人から生まれる。 ナガ

東京

ひとりの、様々な思いは絵となり、
模様となる。
それを着るものにしたいと思う
多くのひとの手でそれは仕上げられる。

egg bag　tambourine　mustard　¥12,100 ／ minä perhonen ミナ ペルホネン／
皆川明

1995 年、皆川明により前身の「minä」が設立された。オリジナルの図案によるファブ
リックをつくるところから服づくりを手がけ、ファッションをはじめ、テーブルウェアや
家具、近年ではホテルなど空間のディレクションも手がける。1997 年から定番の「egg
bag」は、洋服裁断時のハギレを少しでも無駄にしたくない気持ちから生まれた商品。

皆川さんの服づくりは、既存のファッションビジネスとは違い、流行を追ったり売れ残
りをセールで処分するように消し去ったりはしない。欲しい人がいて、その人は待って
買う。工場は様々に無理のないものづくりで続いていく。簡単に安価につくらないからこ
そ、そこにずっしりとした思いや気持ちが宿り、その愛着は、その服たちをいつまでも大
切にしたいという気持ちになる。ナガ

神奈川

木材とはどこからどう生まれてくるのか。
小さな材から森の材までを想うものづくり。

輪花皿 丸皿 6 寸 ブビンガ ￥8,800 ／ studio fujino

代表を務める木工作家の藤崎均は国内の木工家具メーカーにて修行後、ミラノにて独立。2007 年に帰国し、日用品から内装、アートピースなどの創作活動を行う。様々な木の魅力を発信しようと、市場で仕入れた木材だけでなく、アフリカ産のブビンガ材など大手ベニヤメーカーから端材を譲り受けたり、果樹や庭木などでも製作。

ミラノで「デザイン（ものづくり）の社会における関わり合い」を巨匠 Enzo Mari から学んだ藤崎さんには、材料である木材に関わる全てのことに想いを寄せなければ、いい形は生まれてこないという考えがある。その想いは環境問題となっている森林からの木材にも、庭木の手入れで伐採された小さな木材にも向く。そして、様々にそれらを愛おしく想いつくるべきものをつくっている。ナガ

新潟

ハンドパンは楽器だけれど、
楽器じゃないかもしれない。
その音の魅惑を、新しくしていく。

新潟県産ハンドパン　¥110,000／Grand Pacific Work、時田清正（三条市地域おこし協力隊）、渡邉和也（鍛工舎）

音楽レーベル、ローカルブランディング企業。金属加工が得意な燕三条エリアで、鎚起銅器の製法でハンドパンを製造。地域おこし協力隊を演奏者や職人としてプロデュースし、コミュニティづくりに繋げる。地域で生まれ、引き継がれる楽器と音楽を育てたいという想いで、世界的需要がある金属楽器をつくり、若い職人の育成に取り組む。

人は打楽器に太古の何かを想う。ハンドパンは楽器だけれど、曽根幹さんから見ると、それは人間に不可欠な根源的な何か。それを音というには狭すぎて、彼はその道具づくりから全てをひとつのハンドパンの魅力として捉えるという新しい発想を提示し始めた。ハンドパンから出る音、そのものをデザインと捉えて、その未来の可能性もデザインする新しい試み。ナガ

富山

田んぼの薄く張った氷を
菓子に変えたいという想い。

T五 5枚入り ¥756／五郎丸屋／宮田裕美詠(ストライド)

1752年創業の老舗和菓子店。代表銘菓「薄氷」は北陸の深い雪が溶けはじめる季節、田んぼにうっすらと張った、今にも割れそうな氷を干菓子に映したもの。伝統の技術を活かし、味覚の基本である塩味・苦味・酸味・甘味・滋味を、桜・抹茶・ゆず・和三盆・胡麻の5つの風味に重ね、無駄を削ぎ落とし、新たな土産として生まれた。

北陸の雪が溶け始めた田んぼの氷を模し、今の生活にあうお菓子にするには、機械化しないこと。そして、こだわりを尽くす。生涯に一品を残す。生きた証を菓子にして刻む。菓子にはつくり手の技量、生き方などその人の今があらわれると、代表の渡辺克明さん。これまでに巡り会ってきた人や風景など、渡辺さんの今までの記憶や人との思い出を凝縮し、その挑む日々が続く。ナガ

石川

生活道具としてのガラスへの想い。
ひとつずつの、程よい量産は
いつでも買い足せるように。

ロックグラス 小 花　¥8,800 ／辻和美、factory zoomer ／辻和美

カリフォルニア美術大学でガラスを学ぶ。その後、金沢卯辰山工芸工房にて専門員を務め、1999年に独立。金沢市内に工房「factory zoomer」を設立。ガラスのテーブルウェアの新しいスタンダードの制作を目指す。作品は、一点一点、宙吹き、カット、エナメル絵付けなどの表面装飾を施し、温かい体温を感じるガラスを生活者に提案している。

辻さんのグラスは、辻さんそのもの。値段は高くなく、安くない。手軽に買えそうで買えない。けれど、いつでも待てば作ってくれる。在庫を抱えたりしないとか、付き合いの長い小売店との関係を大切にして欲張らない。生活者側の成長に寄り添ってくれる、という感じとも少し違う作家のようなペースもある。ひとつひとつ作っている。いつも作っている。ナガ

福井

伝統を続けていくということは、
日常でふつうに使えるということを
ちゃんと考えること。

雲竜紙 双弓 60×90cm ¥1,100 ／山次製紙所

1868年創業の手すきの越前和紙メーカー。粗く楮繊維を残し、水の力のみで模様をつくる「雲竜紙」でオリジナルの柄を発表。独自の技法「浮き紙」は、一般的なエンボス加工より、凹凸の精度が高く、くっきりした模様が特徴。伝統工芸となった手すき和紙をかつてのように身近に感じてもらうため、プロダクト化しやすい和紙も製造している。

「私たちの仕事は、あくまで手で紙をすくということです」。自分たちのものづくりの原点をしっかり共有する。山次製紙所への取材の答えにあったそのまっすぐな意識は、「長く続けるためには、なるべくみんなの生活にふつうに使えるものをつくること」という考えと共にありました。水の力と楮などが生みだす人と自然のものづくりは、時代に寄り添う強い意識で続けられている。ナガ

山梨

たとえ一樽でも最高のものを。

アルガーノ、アルガブランカ　750ml　¥1,787 〜 ¥6,050 ／勝沼醸造／綿貫宏介（無汸庵宗家）

1937年の創業時から「たとえ一樽でも最高のものを」をモットーに、高品質なワインづくりに取り組む。創業者の有賀義隣は製糸業を営むかたわらワイン醸造を始め、後に近隣のブドウ農家29名と前身となる「金山葡萄酒協同醸造組合」を設立。日本固有のブドウ品種・甲州を使って、世界に通じる特異性と品質を備えたワインを目指す。

勝沼醸造には常に「高い意識」がある。原料のブドウづくりのほとんどは、その地形からなる水や日照り、雨風など人がどうすることもできないこと。だからこそ人の役割は高い意識で何事も臨むこと。世界での評価を見据え、世界で活躍するデザイナーにラベルなどを考えてもらうなど、その意識は「たとえ一樽でも最高のものを」というワインづくりのテーマに表している。ナガ

長野

外国人から見えた
この酒蔵の気配。

白金　750ml　¥11,000 ／桝一市村酒造場／原研哉（日本デザインセンター）
(はっきん)　　　　　　　　　　　　(ますいち)

江戸時代より260年以上続く造り酒屋。「桝一」の愛称で親しまれている直売店では、
店内にテッパ（手盃）台と呼ばれるカウンターがあり、量り売りでその場で飲むことがで
きる。時間と手間をかける昔ながらの木桶仕込みを半世紀ぶりに再開し、往年の代表酒
「白金」が2000年に復活した。それを機に木桶仕込みの保存活動を行なっている。

デザインをした原研哉氏が自ら新聞の連載でこう書いている。「空虚さをもって存在を
なすという意味では、日本の酒として定着させた手応えを感じている」と。当時の依頼者
である酒蔵のセーラ・マリ・カミングスにも、そんな小布施の豊かな四季や、実直な酒
造りの様子を外国人の目で見て、特別な容器にそのお酒を入れたいと思ったのだろう。
日本酒の佇まいから逸脱した美しい存在。 ナガ

誤解だらけの民藝。
未来に向かいなぜ
進化しないのか。

富山県南砺市の大福寺住職であり、日本民藝
協会常任理事、となみ民藝協会会長の太田
浩史さんと、D&DEPARTMENT TOYAMA
GALLERYで開催した「安川慶一の仕事」展の
キュレーションを担当した「富山県西部観光社
水と匠」のプロデューサー、林口砂里さんに聞き
ました。「民藝運動って、もう運動していない?」

太田浩史　日本民藝協会常任理事・となみ民藝協会会長
林口砂里　エピファニーワークス代表・「富山県西部観光社 水と匠」プロデューサー

聞き手 ナガオカケンメイ ／ 文 西山薫

民藝ではないものが民藝ともてはやされ、
崩壊した美しさ。

民藝運動は現代版のデザイン運動のようなものだと、多くの方が
いろいろな本で書かれています。民藝の思想は、今後ますます重
要なテーマになるとワクワクしているのですが、民藝運動は現代に
つながっていませんよね。現代版の芹沢銈介や棟方志功のような
作家も生まれていないのは、なぜだと思われますか。

太田浩史（以下、太田）　柳宗悦による民藝の考えを取り入れた新
作民藝の職人は、実はいるんですよ。ただ、河井寛治郎や濱田庄司、
芹沢銈介、棟方志
功のような"巨人"
がいない。それに
は理由があります。
　少し話は前後
しますが、歴史を
基にご説明します
ね。民藝運動の歴
史は、仏教の三時
説という表現を借

棟方志功が疎開していた富山県南砺市にある真宗大谷派寺院「光徳寺」

りると、「正法」「像法」「末法」の三つの時代に区分できます。

　まず、正法の時代は、仏法が正しく行われていた時代のこと。民藝でいうと、本来の正しい民藝品が生産されていた頃です。柳宗悦をはじめ、河井寛次郎、濱田庄司、バーナード・リーチなど、優れた指導者が民藝の価値を世に知らしめた「英雄時代」と称することもできるでしょう。当時、世の中の経済の仕組みは、民藝に不利な方向に流れつつありました。そんなとき英雄たちが現れて、民藝運動を巻き起こし、それを基盤に生産活動も行った。そして、今につづく民藝の思想をこの世に残してくれました。

　次が、像法の時代。像法の「像」は形のことで、過去の偉大な人たちの形だけまねるという意味です。民藝における像法の時代は、高度経済成長期。もはや本物の民藝品は生産されなくなり、英雄たちが残した理念と神話を、形式的にまねていた。民藝運動を受け継ぐ人たちも、巨人とは言い難い。世の中は商業資本のペースに乗せられていき、その結果、民藝ならざるものが民藝としてもてはやされ、美のモラルが崩れていきました。社会も美しくない方向に進んでいき、「俗物時代」とも言えるでしょう。

　では、今はどうでしょうか。今は、末法の時代。いよいよ後がなくなった人類が、己の醜さと愚かさに目覚める「凡人の時代」です。凡人である自分のお粗末さをようやく認め、美のことについて誠実に考える時代になったと言えます。こういう時代には、巨人や英雄は出現しにくいんです。その一方で、純粋にものづくりに取り

組める時代になり、民藝運動にとってはいい時代になったと思います。

　凡人が歩みを進める上で必要なのは、かつての柳宗悦のような道を切り開いていく存在です。今は、いわゆる「道しるべ」となる人がいません。そんな「道しるべ」をつくる働きをするのが、デザイナーの仕事。それは、現代の民藝運動におけるデザイナーの使命でもあると思います。

林口砂里（以下、林口）　私もケンメイさんと同様、民藝運動の動きが止まっていると思っていました。太田さんのいう「像法」の時代に民藝は形骸化されていき、時代にそぐわなくなっていく。民藝運動をしたり、作品をつくったりする人も減っていったのでしょう。

　とはいえ、もともと民藝の思想を持っている方々は、どの時代にもいると思っています。実際、民藝的な作家さんも存在しているのですが、民藝とはくくられてはいない。今回、ケンメイさんが企画されている展覧会「LONG LIFE DESIGN 2」で取り上げられる方々も、きっともともと民藝的な感覚や素地をお持ちなんだと思います。

　私は、デザイナーの皆川明さんやアーティストの内藤礼さん[＊1]は、民藝作家だと思っています。ファッションにもアートにも音楽にも、どんなジャンルにも民藝的な方々はいるんです。そもそも、ジャンルで区分するのが良くないかもしれませんね。そうすると、どうし

ても民藝なのか工芸なのかデザインなのか、という話になってしま
うからです。

今回の「LONG LIFE DESIGN 2」展で出展してほしいとお願い
したとき、「自分たちがやっていることは民藝ではない」と、民藝で
くくられたくない方々は少なくなかった。僕は民藝運動に関心が
あって面白いと思っているので、展覧会では1ミリでも民藝が進化
したらいいな、と思っています。

太田　たしかに民藝に対する誤解があり、それを解いていく必要
はある。民藝が嫌いな人は、柳宗悦の本をどれくらい読んだのだ
ろうか。さきほども言いましたが、民藝ならざるものを、民藝とし
て売り出された時代の印象が強い。だから、鈍重で暗いイメージ
が定着してしまったんです。

地方の民藝館のあるべき姿は、民藝的な"生活"を見せる場所。

東京・駒場の日本民藝館に行くと、ある時代で止まってしまってい
る感じがします。なぜ、現代に進まないんでしょうか。

太田　まず、日本民藝館と地方の民藝館の役割は違います。日本民藝館は、柳宗悦の選んだものを展示する場所で、民藝を考える上での原点や、民藝の美しさの基準にもなる。だから、あのままでいい。ただし、それ以外の全国各地にある民藝館のあるべき姿は、民藝品をコレクションして展示する施設ではなく、民藝的な生活を見せる場所。生活ですから、時代によって変わっていくのが当然です。直観的に美しいと感じたものを、生活の中に取り入れている姿を見ていただくことが理想で、松本民芸館も富山市民族民芸村にある民芸館も常設展示の本館とは別に、民藝生活館や民芸合掌館といった別館がある。民藝という世界と触れあえる場であれば、一つの地域にいくつあってもいいと思っています。

富山市民族民芸村にある民藝合掌館　画像提供：富山市民俗民芸村

林口　そういう意味では、その土地に長く続くロングライフデザインの価値を伝えている D&DEPARTMENT は、民藝館とも言えますよね。

太田　まぎれもなく、そうですね。

そんな恐れ多い。ただ、僕らのお店と民藝館の間に、なにか兆しのようなものがあってもいいなとは思っています。たしかに今の民藝には、生活というキーワードが抜けていますよね。

林口　富山県内にあるお寺のお坊さんたちの詰所だった建物を、富山県出身の木工家であり建築家でもあった安川慶一さんが研修

2020年、D&DEPARTMENT TOYAMA GALLERYで開催した「安川慶一の仕事展」。展覧会のリサーチの際に発見された民藝の代表的な産地の約50年前の貴重な器など、「安川慶一ゆかりのコレクション」も販売された。

道場に改修し、それが今も残っています。その場所を民藝館にする計画があります。そこにdさんも参加していただく予定で、今準備の真っただ中です。

その場所の名称には「民藝」という言葉は使うんですか。

林口 まだ決まっていませんが、おそらく民藝館とは名付けないと思います。

なぜですか？

林口 ケンメイさんがお話しされているように、民藝を誤解されている方がいるからです。民藝と聞くだけ、自分には関係ないと思われることがありますよね。富山は民藝が盛んな土地だからこそ、それぞれ思い入れも強い。だから、民藝という言葉ではなく、その場で見せる"もの"や行う"こと"などで、民藝の価値を伝えていけたらいいと思っています。
　もともと道場だった場所なので、学べる場にもしたい。たとえば、太田さんに民藝の話や仏教の話をしてもらったり、ケンメイさんにデザインの話をしてもらったり。ジャンルを限定せず、いろんなことが当たり前に混ざりあっている状況がつくれたらいいな、と思っています。民藝という言葉にとらわれすぎず、その精神を体現でき

る場をつくりたいんです。その後、誤解が解けて、民藝の価値を再認識していただけるようになったら、民藝を名乗ろうということになるかもしれません。まだ、分かりませんけどね。

太田さんはどう思いますか。

太田 僕は「民藝」という日本語が、陳腐化していると思っています。民藝は「folk craft（フォーク クラフト）」という英語の名称がありますよね。柳宗悦は最初、folk craft という名前をつくり、それを民衆的工藝、略して民藝と呼ぶようになりました。民衆を citizen や people、public、popular ではなく、folk と名付けた。ここに深い意味がある。folk というのは、仲間。仲間によって生み出される美が、柳宗悦が考える民藝です。そんなフォークという言葉に秘められた意味を伝え、言葉も使っていくべきだと思っています。

美しいものを見て褒め称え、感謝する気持ち。それが祈り。

民藝的な暮らしが見直される時代になってきたと思います。20 年くらい前だと、それよりも大切なものがあるだろう、と重要視され

ることはなかったはずです。健やかなものを生み出せるようになってきて、それを求める人も増えてきたということですよね。

太田　直観的になってきたんでしょうね。民藝的な暮らしは、自然に救われている暮らしとも言い替えられます。ここでいう自然は、山や川なども含みますが、もう少し大きな意味でとらえたものです。民藝は、人間の不完全さを自然にゆだねます。たとえば、真っすぐな 1 本の線を正確に描けと言われたら、人間は機械に到底かないません。しかし、人間しか表現できない真っすぐな線がある。それは、自然が人間に働くからです。人が感知できる自然も、目に見えない大きな働きのようなものも、 1 本の手書きの線の中に含まれます。

　完璧な線が引けないことが、つまらないことだと考えたり、コンピューターが引く見せかけの完璧さに心を奪われたりすることで、私たちは誰もが授かっている天性の審美眼を台無しにしてきました。その頑なさが、少しほどけてきたのではないでしょうか。

林口　そういった自然の働きは、 山や川が身近にある田舎のほうが都会より感じ取りやすいとは思いますが、 決して都会で得られないわけではないですよね。

太田　そうですね。自然といえば、面白い話が一つあります。柳宗

悦は、濱田庄司がつくった茶碗と鳥の巣をどちらが美しいか比較
し、茶碗のほうが美しいと言った。鳥も鳥の巣も、自然の一部です。
一方、茶碗は自然が人間を介して形となったもので、いわば私た
ち人間が生みだした自然とも言える。

　要するに民藝は、自然という私たちがとらえることができないも
のを、味わえる形にする。自然が人間の手を通して表れてくること
も、そうやって生み出されるものも、美であるという考えです。自
然な暮らしとか、自然に学ぶといった感覚は、誰もが持っています
よね。自然が私たちを通して自らを表す、そんな文化や文明の在り
方が私たち人間にとって一番幸せなのだと思います。

それを取り戻すのは大変そうです。民藝が宗教やお寺、祈りといっ
たことと密接に結びついていることを知っている人は少ないと思い
ます。

太田　そもそも「祈り」とはどういうことか。実は、祈りについても、
民藝や自然と同様に、誤解している人は多いはず。祈りは、何かを
願い叶えてもらう「おねだり」ではありません。まず、自分の感動
したものを、褒め讃える。その上で、感動したものに身を任せ、感
謝をする。それが拝むことであり、祈りです。柳宗悦は、自分には
ない崇高で美しいものに頭が下がり、礼拝し、身を任せ、感謝をさ
さげ、日夜そういう対象を持っていることが幸福だと言っています。

こうした祈りは、かならず儀式という表現をとります。儀式とは形のない心を型に表すこと。この型が、無意識の中に隠されてきた本心を呼び覚ます。それが、デザインということではないでしょうか。

　大自然や祈りを通して型として表れたものが仏であり、それと同じ要素を含むのが民藝品だと思います。だから、お寺は仏を安置するのと同時に、民藝品であふれているのが本来の姿なんです。ところが、現在のお寺のほとんどは、民藝品などどこにも見当たらず、貴族的な美術品や装飾であふれています。今日のお寺が社会から侮られ、衰退の一途をたどっている原因のほとんどは、美の欠如にあると思います。

お寺は祈りの場でもあるんですね。そして、これからつくられる道場は、祈りがあり、美しさがあり、生活もあるということですね。

太田　生活そのものが祈り。美しいものを見たり使ったりすることが、拝んでいることと同じなのです。

林口　祈りというと、平和や誰かの幸せ、もしくは人間の欲に引っ張られて、さきほど太田さんも言われたように「おねだり」になっていく。美しいものを見たときの、感謝だったり褒め讃えたりすることが祈りだとするならば、新しくなる研修道場も、そういう場所にしてほしいと願っています。形をどうつくるか。コンピューターで

どう処理するか。そういうテクニックを身に付けることは大切だと思います。ただ、その根本となるものづくりの思想や精神性を知っているかどうかで、生み出すものが違ってくるはずです。

そういう学校に1年でも通えば、社会も変わりそうですね。

＊1 内藤礼　美術家(1961—)、広島県生まれ。1991年、「地上にひとつの場所を」で注目を集め、国内外で作品を発表。2020年、金沢21世紀美術館で「内藤礼 うつしあう創造」展を開催。小さな人の像や絵画作品、光、水などを使った繊細な光が宿る作品で知られる。

＊2 安川慶一　木工家・建築家(1902—1979)、富山県生まれ。戦後すぐ富山民藝協会を組織し、富山に民藝運動を根付かせ育てた。松本民藝家具の製作指導を担うなど、全国の民藝運動にも参加。

太田浩史　Hiroshi Ota
1955年富山県生まれ。真宗大谷派大福寺住職・日本民藝協会常任理事・となみ民藝協会会長。大谷大学文学部卒。2007年から日本民藝協会常任理事を務める。「土徳」をモットーに、地域の風土やお講を大切にした教化の必要性をうったえる。

林口砂里　Sari Hayashiguchi
富山県高岡市出身。となみ民藝協会会員。東京デザインセンター、P3 art and environment 等での勤務を経て、2005年エピファニーワークスを立ち上げる。2012年より拠点を富山県高岡市に移し、地域のものづくり・まちづくり振興プロジェクトにも取り組んでいる。2019年には、富山県西部地区の地域資源を活かして活性化を図る観光地域づくり法人「富山県西部観光社 水と匠」のプロデューサーに就任。　epiphanyworks.net

岐阜

月のあかりを
出会えたひとに贈る。

paper moon 02 ¥11,000 ／浅野商店／内田繁（内田デザイン研究所）

「岐阜ちょうちん」を100年以上つくり続ける老舗メーカー。伝統を守るだけでなく、その技術を活かした新しい照明器具なども生み出している。「paper moon」は伝統技術をベースに、上品さや繊細さはそのままに、提灯ならではの無理のない形や、和やかな光の質を生活空間で感じることができるようにとデザインされた照明。

岐阜に長く続く提灯の歴史と技と想い。暮らしの中に自然に差し込み、そして灯った月のようなあかりは、時代がどんなに変わっても、何も変わらず逆に「今」を照らしているようにも見える。創造した内田繁さんは、とにかく「手軽に贈れるように」考えたという。無理のない自然の中に続く造形と意識は、発売から20年以上経っても、じっと変わらずにいてくれる。ナガ

静岡

皮に関わるものづくりが
どんどんなくなっていく中で
小さくなっていく商売の先に出会った、
"程よいこと"たちとつくる。

ENVELOPE　KEY HOLDER ¥1,650、CASE EXTRA SMALL ¥3,850、CARD CASE ¥4,070 ／日本スエーデン／真喜志奈美(Luft)

靴や鞄の素材の型抜きに使われている「スエーデン鋼」の型メーカー。県内の皮革産業の減少をきっかけに、自社製品として開発された革小物シリーズ「ENVELOPE」。それぞれの目的にあったサイズを設定し、収納して整えるシンプルなつくりが特徴。タンナーが柔らかくした革の持ち味が生き、使い込むほどに表面が変化していく。

「あらゆる無駄をそぎ落としていったら、デザインが現れました」。そう語る日本スエーデンの山本健二さんは、皮革業界がどんどん倒産などで縮小していく中で出会った人、そして必要に迫られ努力して習得した縫製など加工技術によって救われたときにそう思ったのでした。自身が体験したシンプルな出会いのようなものづくりこそ、温かい。製品を見ていてそう思います。ナガ

愛知

贈るものとしての姿をみんなで
時間をかけて考え商品名を取り、
データ化されたマークを元に戻すなど、
静かな佇まいを取り戻したデザイン。

青柳ういろう ひとくち　濃茶・和三盆 8個入り　¥1,296 ／青柳総本家／平井秀和
（Peace Graphics）

1879年創業、名古屋の老舗ういろうメーカー。使用する国産米粉は、収穫した年ごと
の違いを職人が見極めて調整し、伝統的な製法で、もっちりとした食感にこだわる。名
古屋土産の、安価なういろうが増えるなか、大切な挨拶の場に持っていけるようにと開
発された商品。特徴である原料の米粉をイメージした、米形の透かしが入っている。

愛知を代表するういろうを、贈答品としても使いたいというお客様の要望を受け、贈り
物として高めるためにしていったこと。商品名を取り、米粉でつくられる物語を「お米」
の模様に主張せずに込める。杉本健吉画伯によるブランドマークも、データ化する前の
オリジナルに近づけるなど、味以外の主張を取り除いて現れた静かで、贈る気持ちに添
えられるようなデザイン。ナガ

三重

ひとつひとつ本人がつくる。
家業のルーツを継いだ生活道具。

鉄錆膳 大 ¥52,800 ／内田鋼一

鉄工所を営む家に育ち、高校で陶芸を学んだ後、世界各国の窯場で修行し、四日市市
に工房を構える。2015年に「BANKO archive design museum」を設立、自ら収集し
た古い萬古焼や様々な企画展を通しデザイン性の高い工芸の魅力を伝えている。「鉄錆
膳」は現代版の膳でありながらも、用途を限定しないスタッキングできる生活道具。

実家の家業は鉄工所。鋼一さんの名前にもそれがある。やがて陶芸家となり、和のしつ
らえや、日本人の佇まいへの興味から、茶道具をはじめ、様々な内田さんによる世界が
新たに切り開かれて行く。住み暮らす三重県への想いは、土地にあった萬古焼のアーカ
イブをはじめる。そんな彼の考えた家具は、昔からあるようで、今に残ったような、削ぎ
落としていった形。ナガ

滋賀

みんなで教わりながら
素材に触れながら形にしていく。

ラ コリーナ近江八幡／たねや／藤森照信

ふるさとの文化や歴史、暮らしを見つめ直し、それを支えてきた豊かな自然とともに歩みながらお菓子づくりをと考える「たねや」。八幡山の麓に、専門ショップ、自社農園、飲食店、本社などが点在する。まるで建物が一つの丘に見えるような、自然そのものを感じられる空間として、藤森照信が手がけた。

山から選んだ木は、自然に育った形のままになるべく使う。専門的なこと、例えば道具の使い方などは、専門の職人に教わってつくる。職人も、いつもと違うつくり方を実は教わっているのかも。学生とスタッフと建築家と職人が、話しながら、時間をともにしてつくる。そこには実感があり、それは溢れ、やがて形になり想いになる。そしていつまでもそこに残る。 ナガ

京都

私心を捨て、
ひとつひとつ音が出てきた元の場所を
紡いでいくような
イメージで音を整える。

高木正勝「Tai Rei Tei Rio」文庫本付きCD　¥3,000 ／エピファニーワークス／
近藤一弥(カズヤコンドウ)

世界中を旅しながら撮影する映像と、自ら制作する音楽の融合により注目を集めるアーティスト。純粋に音が音楽になる創作時の瞬間を再現することや、太古から受け継がれているはずの自分たちの民族音楽の流れに触れることをテーマにコンサートを開催。アルバム「Tai Rei Tei Rio」は、その様子を録音した音源をCDとして発売したもの。

音への思い。高木さんにはそれを強く感じる。彼の音への思いは、椅子やマグカップのようなモノに近いように思う。見えない、手渡せないけれど、彼には手渡したり、置いたりできるよう。場所の空気や観客をも含んだ演奏をCDで再現する時の思いは、まるでそう。ひとつひとつを手で磨くようにつくり出す音、メロディ。演奏者の人生を含む背後から音は出る、と、高木さん。ナガ

大阪

スプーンを見て
作らなかったスプーン。

SUNAO カトラリー　¥660 ～ ¥1,980 ／燕振興工業／ graf

大阪を拠点に、家具の製造・販売、グラフィック・プロダクト・空間デザイン、カフェの運営など行うクリエイティブユニットが企画したカトラリーシリーズ。新潟県の「燕振興工業」でつくられている。日本人の口や手、食卓のサイズに合わせ、一般的なカトラリーよりも少しだけ小ぶりに。製造工程を理解し、無理のないデザインを生み出している。

長い間、自分がもっていたスプーンや特にフォークに不満がありました。存在の主張が強すぎて、重くて威張っているような有名デザイナーがつくったものでした。そんな気持ちのとき、このカトラリーに出会いました。まるであらゆるカトラリーを分析してつくられたようで、実は何も見ずに出来ていった形とか。工場の手わざもふんだんに盛り込まれた、人が人のためにつくった道具。ナガ

兵庫

開港から生まれた着飾る文化。
やがてそれは土地に馴染み、
肩の力が抜けた自由さと、
土地に暮らしているからこその発想で
伝えられていく。

jute drape cap ¥13,200 ／ mature ha. ／高田雅之、高田ユキ

2004年、神戸で誕生した帽子ブランド。「帽子を当たり前にかぶる生活を楽しんでほしい」という想いから、装飾を省き、形を変えたり、複数のかぶり方ができる自由度の高いデザインが生まれた。「jute drape cap」は定番の中でも最も長く販売しているシリーズ。頭に触れるドレープ部と裏地に柔らかい素材を使い、フィット感を生み出した。

生まれた土地、神戸のことを想い、その土地にある開港の文化を帽子づくりに込める高田雅之さんとユキさん。帽子の窮屈さやこれまでの印象を変え、自由で楽しいものとして伝えることで、神戸の物語にも紐付けていく。日常を少し豊かにするような帽子があるシーンを想い描くということをとても大切にしていました。物語を形にして、しかし、その形はあくまでも自由に。ナガ

奈良

いろんなものを買ったり、
売ったり、手放したり。
その繰り返しの中で見えてきた形。

tumi-isi BLUE　¥9,900 ／アーブル／ A4 エーヨン

東吉野村を拠点に活動するプロダクトデザインレーベルの「tumi-isi」は、奈良県産吉
野杉や吉野桧を使った多面体の木製ブロック。ひとつひとつ異なるサイズ・形状に面取
りし、玩具としてだけでなく、オブジェとしても整うように製作。ディレクターの菅野大
門はシェアオフィス「OFFICE CAMP HIGASHIYOSHINO」の運営にも携わる。

いろんなものを収集してきた菅野さん。手に入れたり手放したりしていく日常の生活の
中に、ひっそりと時間の経過と一緒に残ったものを自分にとっての「本物」と気付きま
す。今度はそれをじっと眺め、こうして残ったものにある本質のようなもので何かを産み
落とすようにつくってみたい。つまり、膨大なものの中から選ばれし残った素養でつくる
生き残る存在。 ナガ

和歌山

いつまでも変えず、
ありのままを知ってもらう。

特選 三ツ星醤油 コンプラ瓶　¥6,480 ／堀河屋野村

醤油の発祥の地とされる紀州で、現存する最古の醤油蔵として300年の歴史を持つ。
「日本の食文化を口伝することが使命」と考え、1年半から2年かける醸造には木桶を、
仕込みや火入れに薪を使うなど、江戸時代の技法をそのまま守っている。「特選 コンプ
ラ瓶」は、香り・味・色が特に良いものを、江戸時代の瓶を復元した陶器に詰めている。

自ら判断する。そんな「おいしい」原料のみでつくる。時代は変わっていくけれど、真っ
当なものづくりの考えは変わらない。当時の製法を今も続ける。火力は薪で起こし、そ
の行為を続け重ねることで、先人たちの些細な気付きや想いがわかるように思う。それ
がとても大切だとも。日本人の食を守る思いでつくる。作業はほぼ手作業。そうしないと
自分たちの気持ちは伝わらないと考えている。**ナガ**

柳宗悦が考える
民藝とクリエイティヴィティ。

民藝とは改めて何なのか。柳宗悦は何をした
かったのか。著書『民藝の擁護』で柳の民藝
を再確認し、『民藝の機微』では、美しいも
のが生まれる様子を書いている、民藝と柳宗
悦の研究者である松井健さんにわかりやすく
民藝について教えていただきました。

松井健　研究者、『民藝の擁護』著者

聞き手 ナガオカケンメイ ／ 文 西山薫

何事にもとらわれない、宗教的な心から生まれる／
民藝によって見出される美しさ。

　柳宗悦は、禅で有名な仏教哲学者の鈴木大拙[*1]が天才と認めた
思想家です。直観力が非常に優れ、緻密な思考力によって美的直
観と宗教的体験が同じ源からきていることを明らかにした唯一無
二な人物で、明治以降の近代日本で、これほど独創的な思想家は
いないと思っています。そんな柳が一生涯かけて育て上げたもの
が、民藝という思想／概念／実践です。

　私は「柳宗悦」が見いだし、そして命名した民藝について正し
く知ってもらいたいと思い、2014年に『民藝の擁護』という本を
書きました。民藝は今や一般名詞なので、誰もが使える言葉です。
ナガオカケンメイの民藝があってもいいし、松井健の民藝があって
もいい。ただ、一番
大切にしなければ
いけないのは、や
はり柳宗悦の民藝
に対する考え方だ
と思っています。民
藝の「藝」を旧字
にしているのは、私

左から、『民藝の擁護−基点としての〈柳宗悦〉−』松井健 2014年、
『民藝の機微−美の生まれるところ−』松井健 2019年（ともに里文出版）

が伝えたい民藝は「柳宗悦の民藝」であると強調するためです。

　ナガオカさんは、民藝を切り口として、現在のデザインやものづくりの問題、ロングライフデザインとの関係について考えていますよね。少し前に頂いた、ナガオカさんからの手紙には、民藝の思想はこれからのデザインやものづくりに必要なことを指摘して、３つのポイントが挙げられていました。1つ目は「作為的でないこと」、2つ目は「宗教的な心があること」、3つ目は「美しいこと」。非常に的確で、なおかつアクティヴな形で民藝をとらえようとしているナガオカさんのスタンスがよく表れていると思います。この３つのポイントを手がかりにしながら、柳宗悦の民藝についてお話しをしていこうと思います。

自由に美しいものを観る、先入観のない眼。

　まず1つ目の「作為的ではない」とは何か。作為的とは、つくり手が何かを意図してつくることです。たとえば、自分の思う美しいものをつくろうとしたり、マス（大衆）を狙い大量生産して売ることだけを考えたり、何らかの狙いや意図を持ったとたん、人間の心は健やかさを失い、縛られてしまいます。この「作為的ではない」

の同義語は、柳宗悦がいう「自在さ」です。何かを意図したり作為しようとしなければ、何ものにもとらわれない自由な心でいることができます。それで自在さを得ることは、宗教的な意味でいう解放／悟りに近づきます。

　このようにみると、1つ目「作為的でない」ことが、2つ目の「宗教的な心とは」とすんなり結びついていることがわかります。宗教的といっても、信仰のことだけではありません。ものごとを自由に見る、縛られない心の持ち方のことで、民藝の思想において、とても重要なことです。人は本来、誰もが自由に美しいものを見る、先入観のない視点「美仏性」を持っています。美仏性とは、全ての人は仏になれる性質を有する「仏性」という思想をベースにした、柳宗悦による造語です。

　そんな美仏性を、私たちはなかなか開花させることができません。それは、本来持っている美しいものを見る目が歪んでしまっているからです。理由は、私たちは通常、子どもの頃から「個性を伸ばしていきなさい」と言われて育ちますよね。他者とは違う、自分の独自性をどうにか出していこうとする。しかし、個性とは、人間が共通して持っている「美しいものに感動できる宗教的な心」から生まれるものであり、もっと心の奥深くから出てくるものと柳宗悦は考えています。そのため、民藝では、「昔からある美しいものを学ぶ」ことを重視し、個人的なクリエイティヴィティや独自性な

どとは距離を置きます。

　だから、民藝の創作は一見すると、古い美しいものをよく見ることを強く推奨するので、保守的で抑圧的なものだと思われることがある。そんなこと言われたら、特に若いクリエイターは逃げ出したくなりますよね。民藝的なものづくりなんてやりたくない。そう思ってしまうはずです。

ものを直に観る、直観から生まれる大きな個性。

　しかし、柳宗悦は個性について否定しているわけではありません。個性について、柳宗悦や濱田庄司は「小さな個性」と「大きな個性」の二つに分けて説明していました。小さな個性とは、大人になるまでに教育や社会生活をする上で植え付けられたもの。表層的な小さな個性からは、人が感動するようなものは生まれないと考えています。

　これまでの小さな個性をぐっと抑え、あらためて地元の素材や昔ながらのつくり方／使い方、伝統などを学んでいく。小さな個性をもう一度つくり直した上で、人間の心の奥深くにある大きな個性を出せるようにする。それが創造だというのです。そのためにも、柳宗悦は「ものを直に観なさい」、つまり自由な「直観」を頼りに

美を見出すようにと説きつづけました。2つ目の「宗教的な心とは」が、3つ目の「美しいこと」に直結することが、簡単ですが説明できたと思います。

　ただ、ものを直に観ることは簡単ではありません。これまで培ってきた知識や先入観、自分の考えが邪魔をするからです。ただ、美仏性は、全ての人間が持っている力で、自分の中にあります。それを歪めずに、他のものに左右されずに観る。そうやって本当に美しいものを観て感激したときは、まわりのことが一切気にならず、頭が真っ白になり「生きていてよかった」という幸せな満足につながる。柳宗悦は当初、この興奮が何であり、どう位置付ければいいか分からなかったんです。たとえ割れたり欠けたりしている茶碗でも、とても美しいと感動するのはなぜか。そんな美しいと感じる心と、若いときから研究してきた宗教的な神や仏といった信仰の問題が、一致することに気づいたのです。

　そんな柳宗悦が自ら収集した品々は、特別なものです。似てい

左から、松井氏私物より、朝鮮半島の「無名の」工人のつくった碗。
高さ約8cm／松井氏私物より、船木研児(＊2)作、白釉の小蓋物、
もしくは茶会などで使う香盒(こうごう)。高さ約8.5cm

るようなものは、たしかにあるでしょう。しかし、全く異なります。初めは「その美しさの違いを見極められるようになるなんて、私には無理」、そう思うかもしれません。まず、とにかく、柳宗悦が自分で集めた品々を展示している、駒場の日本民藝館を訪ねて、ぜひ、半日かけてゆっくり見てください。そして品物を実際に使っていると「美しさ」と漠然と言われていることが分かってくるんです。

　私はたとえば、朝鮮半島で明治・大正時代につくられた、つくり手も分からない雑器の椀を飯茶碗に、柳宗悦らと民藝運動に参加していた船木研児がつくった蓋物を小物入れに、長らく使っています。すると、次第に美しさの違いが分かってきます。片方は民器、片方は作家ものですが、同じです。それは、頭で考えてもなかなか理解できない。日本民藝館の展示品のどれかに共感／共振できたら、まずは、信じること。私は、柳宗悦の眼と考え方を信じ、ついていこうと決めました。そこから私自身、民藝の美しさを体験する、全てが始まったとも言えます。

新しい民藝作品を生み出すための古作の収集。

　これまでの説明の通り、ナガオカさんが挙げた民藝の美しさと、無作為であることと、宗教的な心の3つはつながりあっています。

それが分かったところで、デザイナーはどうしていくべきか。柳宗悦の思想や考え方、体験をクリエイティヴな仕事に、どう生かすか、という話ですよね。

ナガオカさんが提唱するロングライフデザインと民藝は、似ているところもあれば、違うところもあると思っています。時代の中で取捨選択されて、残っていくものもあれば、そうじゃないものもある。社会情勢や市場構造が変化しながらも存在しているのが、ロングライフデザインですよね。民藝とロングライフデザインの似ているところは、機能的で価格が高すぎないこと。長く人の役に立つものであることなど。問題は、美しさじゃないかな。ここをどうクリアするか。

デザインというのは、デ・サイン、すなわち個人のサインがついているものという意味です。ですから、これまでのナガオカさんの3つのポイントからみると、デザインそのものの在り方を柳宗悦の民藝という光の中で再考する時期にきているのかな、というのが私の感想です。

そして、最後に柳宗悦は、一番大事なことは新作民藝が生まれることだと語っていました。古いものの中から、感激するほど美しいものを見出して日本民藝館をつくったのは、つくり手たちがそれらのものから勉強して新作の民藝と呼べるものを創作するためです。もし、今、柳宗悦が生きていたら、私たちがびっくりするようなものを選ぶ可能性もありますよね。これからの民藝については、

厳しい眼とともに、極めて柔軟かつソフトに考えることも大事なこ
とだと思っています。

＊1　鈴木大拙　仏教哲学者（1870—1966）石川県生まれ。禅研究の第一人者。禅や仏教思想を
海外に広く伝えた。『禅と日本文化』など著作多数。

＊2　船木研児　陶芸家（1927—）島根県生まれ。布志名焼の窯元・船木道忠の長男。バーナー
ド・リーチに師事し、柳宗悦らと民藝運動にも参加していた。

松井健　Takeshi Matsui
東京大学名誉教授。1949年生まれ。2015年東京大学東洋文化研究所教授を定
年退職後、沖縄県南城市にプリミティブ・アートとエスニック・ジュエリーのギャラ
リー「杜ぐすく」を開店した。民藝関係の著書に『柳宗悦と民藝の現在』（吉川
弘文館・2005年）、『民藝の擁護―基点としての〈柳宗悦〉』（里文出版・2014年）、
『民藝の機微―美の生まれるところ』（同・2019年）など。

鳥取

人間の都合でつくらないパンは、
いつまでたっても、
作ることに飽きがこない。

パン 黒イチジクとカシューナッツ ¥842 ／タルマーリー

2008年に国産小麦と自家製酵母のパン屋としてスタート。酵母だけでなく、発酵に関わ
る全ての菌を野生から採取することにこだわり、麹菌を求めて千葉県、岡山県と移り住
む。現在は鳥取県の元保育園をリノベーションし、クラフトビールも醸造。「つくればつ
くるほど、地域社会と循環がよくなる食づくり」を目指し、地域内循環を目指している。

飽き性の渡邉格さんが、パンづくりにもすぐに飽きてしまうその原因を探った先にあっ
たのは「人間の都合で安定的につくれてしまう様々な原料」による安定感でした。誰が
つくっても安定して同じようなものができるから退屈になる。そこから野生の菌を探し、
動物的な感性を働かせた不安定なパンづくりが生まれ、そのイキイキとした動的なパン
は、パートナーの麻里子さんの創意によって販売される。ナガ

島根

まず、安全な塩をきれいな海水から作る。
そして、その塩を、
島のいろんなものに使っていく。

海士ノ塩　¥648 ／［企画］手仕事フォーラム（もやい工藝）、［製造］ふるさと海士／
小田中耕一（小田中染工房）

隠岐では、古くから平城京や平安京に海産物を納めており、それらの鮮度を保つために
塩が使われてきた歴史を持つ。隠岐の塩は、この島ならではの歴史・風土とともに受け
継がれ、現在も機械に頼らない手作業でつくられる。パッケージは岩手県の染工・小田
中耕一による型染めで、青海波の伝統文様を用いて隠岐を囲む日本海を表現している。

塩のとんがった辛みではなく、うまみがあるパッケージを小田中耕一さんにお願いし
た。自分の思い、隠岐の島の思いをひとつひとつ丁寧に伝えていく。大好きな文様「青
海波」のことや、硬い塩が、柔らかい表情を持っていることなど。隠岐の自然を愛し、大
切に守りつつ、隠岐の発展に貢献したいという思いが図案になっていきました。ナガ

岡山

「家庭で家族のために糸を紡ぎ、
染て、織り、家族に着せなさい」を
忠実に受け継ぐ。

倉敷ノッティング ¥33,000 ／倉敷本染手織研究所／外村吉之介

倉敷本染手織研究所は、倉敷民藝館の初代館長・外村吉之介が、身のまわりのものを自ら織って使える"工人"の育成を目標に、民藝館付属の工芸研究所として1953年に開設。これまで400人以上の卒業生を全国に送り出した。創成期の「倉敷ノッティング」は、手織機の木綿の残糸や、毛織物工場のウール残糸の有効活用から生まれた。

世界中どこでも家族のためにつくられたものが一番良い物。倉敷本染手織研究所の創設者、外村吉之介の想いです。倉敷ノッティングは、機織りの時に必ず生じる、織り始めと織り終わりの糸が無駄になりもったいないと思って生まれたもの。一年間寝食を共にして生活した仲間によって生まれている。特に椅子敷きは同じものを同じ思いで80年もそれを使いたいと思う人たちに支持されている。健やかさでつくられた生活の品。ナガ

広島

形の中に潜む全てのことを
ご神体のように象徴化して、
制作者たちの思いを集中させる。
ふつうに言う"チームワーク"とも違う、
独特な祈るような創作。

MAZDA 3 ¥2,221,389 〜 ¥3,973,343 ／マツダ／土田康剛

広島の自動車製造会社として2020年に100周年を迎える「マツダ」。2010年よりクルマに命を与える「魂動」のデザイン哲学を掲げ、「ご神体」と呼ばれるデザインオブジェにより、その哲学を全社で共有。「MAZDA 3」では、生命感と共に日本の美意識にこだわり、引き算の美学を用いた控えめながら艶やかで凛々しい造形美を目指している。

ここ最近のマツダのデザインには、なんとも言えない魔力に近い造形美を感じていました。そして、それは自分だけではなく、それどころか、同じことを感じている人がとても多いことに気付きました。その後、何かの記事で「ご神体」の話を読み、やはり、と、その創造の執念、美への探究心に感動しました。ものづくりを代表する車の世界にも、澄んだ心は生かされることの証明。 **ナガ**

真剣かつ丁寧に
つくり上げられた
フォルムには、
魂が宿る。

「魂動」というデザイン哲学を掲げる、自動車メーカーのマツダ。ボディ形状のキモとなる金型製作の現場には、目指すデザインの象徴となるテーマオブジェがある。人の手によってカタチを研ぎ澄まし、まるで「祈るような」工程を経てつくられる。そんなマツダのモノづくりについて、同社デザイン本部の田中秀昭さんに寄稿いただきました。

文　田中秀昭　マツダ デザイン本部ブランドスタイル統括部主幹

マツダのデザインの礎。

マツダが生まれ育った広島は、かつて、中国山地で採れる砂鉄から鉄を作る「たたら製鉄」が栄え、その鉄を活用した、「安芸十リ」と呼ばれる金物（ヤスリ、イカリ、ハリ、クサリ、キリ、モリ、ツリバリ、カミソリ、ノコギリ、ヤリなど）づくりの地場産業が発展していました。そんなモノづくりの風土から、広島の呉が海軍工廠（旧日本海軍直属の軍需工場）の拠点に選ばれ、戦艦大和に代表される造船技術などが培われました。その技術は戦後、マツダをはじめとした地場の製造業へと受け継がれ、被爆からの復興、そして現代では広島の経済を支えています。

マツダは戦前から三輪トラック製造を通し、地域や国の発展に寄与してまいりましたが、1960 年、来るべきマイカー時代を見据え、本格的な乗用車メーカーへと舵を切り、ロータリーエンジンなど独自の技術にこだわる乗用車メーカーとして歩み、2020 年に創立100 周年を迎えました。マツダの乗用車進出と時を同じくして、デザイン部門も創設され、1989 年「見る人の心をときめかせたい」という願いを込めた「ときめきのデザイン」という

初代ロードスター

デザイン哲学を掲げ、その最初の作品として、小型オープンスポーツカーの初代ロードスターを生み出しました。この時代のマツダ車たちは、現在のマツダデザインに通じる造形美を持っていて、クレイ（工業用粘土）でクルマの立体造形をつくるクレイモデラーの造形力が育まれ、現在のマツダデザインの礎となっています。

「魂動」というデザイン哲学。

1990年代半ば、バブル崩壊の影響で経営不振に陥り、かねてから提携関係にあった米国フォード社の傘下に入りましたが、2008年のリーマンショックにより、フォードが保有するマツダ株を手放したため、マツダは独り立ちを余儀なくされ、その際に「マツダらしさとは何なのか？」を改めて問い直しました。マツダには、かねてから「人馬一体」という開発哲学があり、クルマとドライバーが、まるで愛馬と騎手のように、お互いの能力を引き出し合いながら、運転そのものを楽しめるクルマづくりを行ってきました。また我々には、クルマがお客様にとって「愛車」と呼ばれる、家族や仲間のような愛される存在になってほしい、という願いがあり、だとすれば命ある形を持つべきと考え、2010年にクルマに命を与える「魂動」というデザイン哲学を定めました。この魂動の2文字には、「動

きに魂を吹き込む」「見る人の魂を動かす」の想いが込められています。

　クルマは動体物ですので、動くもの、命あるものの美しさを考えるところからスタートし、地球上で最も速く、美しい動きを見せるチーターに着目しました。彼らが獲物を追う姿は、非常にダイナミックでエレガント。無駄な動きが全くなく、四肢や筋肉は躍動していても、背骨の軸が通り、視線は獲物を捉え、とても安定しています。この美しい動きの真理をクルマの造形に活かすため、その原理モデルとなるデザインテーマオブジェをつくりました。今回の「LONG LIFE DESIGN 2」展に展示しているものです。タイヤもキャビンもないテーマオブジェだからこそ、表現には自由度があり、クラスやジャンルを越えたモデルへと発展させることが可能です。これが今のマツダデザインの原点になっているもので、社内ではいつしか「ご神体」と呼ばれるようになり、何か迷いがあると、必ずここに戻ります。

「魂動」のカタチをどう実現するのか。

「魂動デザイン」が生命感と同じく大切にしているモノが「日本の美」です。アートレベルの美しさは、見る人の魂を動かすことがで

きると信じ、「CAR AS ART」というスローガンを掲げ、「全員が
アーティストであれ」という覚悟も持って、徹底的に人の手によ
るカタチづくりにこだわっています。近年、クルマの造形は、コン
ピューターを用いた3D CADで合理的に三次元モデルを描くこ
とが主流ですが、コンマ数ミリの違いで表情が大きく変わる微妙
な造形にこだわるマツダでは、いまだにクレイを用いて人の手で
カタチを研ぎ澄ますことに多くの時間を費やします。日本には古く
から人が想いを込めて手間暇かけてつくったものには魂が宿ると
いう考え方があり、マツダも人の手によって真剣かつ丁寧につくり
上げられたフォルムには魂が宿ると信じています。目指すのは、人

クレイモデラーの作業風景

の手で芸術の域にまで研ぎ澄ました、美しく気品に満ちた造形と、優雅で凛（りん）としたたたずまい。そして決して語りつくすのではなく、要素を引くことで見る人の感性を刺激し、想像の余地を残す、日本の文化や思想に脈々と受け継がれる控えめな美意識を大切に考えています。

　しかしデザイン部門が、いくら美しいカタチをつくり込んでも、それを実車のボディ形状として忠実に再現できなければ、意味がありません。「魂動デザイン」は、過去のデザインに比べ、迫力がありながらも繊細な表現が多く、薄い平板から三次元の複雑なボディ形状をつくり出すプレス工程には否応なく高い技術水準が求

マツダのプレス金型職場。お神酒が供えられているチーターのオブジェ

められました。デザイナーの思いを量産車に宿し、そのままの美しさをいかにお客様にお届けするか？　従来のアプローチでは上手くいかず、暗中模索が続く中、「魂動デザイン」の原点であるチーターのオブジェを金型でつくり、課題を抽出することにたどり着きます。最初の鋼鉄製チーターは、機械加工跡も綺麗に磨き上げられ、一見すると美しく仕上がりましたが、筋肉に張りがなく、生命感に繋がる大切な部分がそぎ落とされていました。デザイナーやクレイモデラーによって指摘された多くの課題を克服した2体目は、見事にご神体のオーラをまとい、これを機にプレス金型の形状面の精度が著しく向上しました。この2体の鋼鉄製チーターは、現在もプレス金型職場に飾られ、お神酒が供えられています。

より深くモノづくりにこだわる開発現場の誕生。

この活動を通し、それまで比較的部門の壁が高く、つくりやすさやコスト、効率を重視していた金型部門が、魅力的なクルマの姿をイメージし、デザイナーとの共創で「魂動デザイン」を実現していく熱き金型部門へと変わりました。このような部門を越えた共創活動が、多くの開発生産領域で行われ、「魂動デザイン」実現の原動力となっています。大切なことは、クルマづくりに関わるすべて

の人が、同じ想いや願いを共有し、同じ目的に向かって知恵を出し合い、それぞれの領域のプロが課題を解決していく。そして、すべての想いがひとつに結晶したとき、お客さまに「愛車」として可愛がっていただける作品になりうると信じています。

　マツダがこのようにモノづくりにこだわった開発ができるのは、世界シェア 1.5% というスモールカンパニーならではの立ち位置によるものです。数は求めず、100 人のうち、1 人か 2 人に熱狂的に愛していただければ、それで良いと考え、あえて流行りを気にせず、モノづくりのプロとして、信じるモノを創り続ける。こういう考え方は、本展覧会でも触れられている「柳宗悦の民藝」にも通じるのでは、と思っております。

田中秀昭　Hideaki Tanaka
マツダ デザイン本部ブランドスタイル統括部主幹。1985 年にエンジニアとしてマツダに入社、プロダクトプランナーを経て、2014 年より現職。「ミラノデザインウィーク」、「デザインタッチ東京」など、国内外のデザインイベント出展企画から、CM 監修、デザイン広報など、顧客とマツダの様々なタッチポイントにおけるコミュニケーションデザインに従事。

山口

土地に暮らす次の世代の道しるべになる。
大きな大きなビジョンを
海外のひとにもわかりやすく。

大嶺 火入れ 720ml［左から］大嶺 2粒 ¥5,500、大嶺 1粒 価格未定、大嶺 3粒
¥1,980 ／大嶺酒造／ Stockholm Design Lab

農業と地域資源を軸に、地元の将来に繋がる産業を創出するため、2010年に50年以
上の休眠状態から復活。秋芳洞を擁する豊かで美しい水源のある美祢市で、2018年に
は自社新蔵も稼働。ボトルの米粒の数は精米歩合、米粒の色は原料とする酒米の品種
を表す。

民藝運動の「美しさとは生まれる物であって、つくり出す物ではない」という言葉が根底
にあります。ボトルに使っている米粒のロゴも、デザインせずに米をそのままトレースし
たものをのせ、シンプルに原材料や種類を表現。「小さな地域農業をダイナミックな経
済活動に変える」という使命のもと、先人の成しえなかった日本酒を現在の技術をもっ
て昇華させたいと願い、つくる。ナガ

徳島

自然が生んだ素材に、人の工夫と想いが重なり
小さな命を借りて創られる色、風合い。心地よさ。

kendama No.3 ￥6,600 ／ BUAISOU

「藍の本場で挑戦してみたい」と、2015年に徳島県上板町で創業。藍の栽培から蒅^{すくも}づくり、染色、デザイン、製作まで一貫して行う。オリジナル商品の製作をはじめ、国内外での展示やワークショップを通して天然藍の魅力を伝えている。「kendama」は、様々な視点から藍染を身近に感じてもらおうと、生地染め以外の商品として誕生。

「身近なものを藍に染めて、末長く使ってもらいたい」。紀元前2000年頃に発掘されたミイラを包んだ布への、遠い遠い将来に続く想い。自然の力と人の創意によって、ひとつひとつ、時間を使ってじんわり生み出すデザイン。出来るだけ古来のやり方を意識し、長く続いてきたその時間軸の上に立って考えていくものづくりは、静かで、深い。ナガ

香川

町の風情が残る風通しのいい古い建物で、
そこに残る人の想いと一緒になってつくりだす。

讃岐かがり手まり［左から］Rose Garden ¥29,700、七宝麻の葉 ¥8,800、La fleur 花（白）¥33,000 ／讃岐かがり手まり保存会／荒木永子

香川県の伝統工芸品「讃岐かがり手まり」を現代に残すため、何年も手を動かし訓練を重ねた職人たちが、その技術を伝えている。球を分割するように渡した線を目安に幾何学模様をつくり出す。工房で草木染めした色とりどりの糸を使うものから、白糸だけを使った陰影の美しさが際立つものまで、様々な手まりが生まれている。

長く続いているものづくりと向き合うためのひとつには、環境が大切だと荒木永子さん。人やものが増え、何度となく引越しをするたびに、周りの自然や建物の物語を大切にしてきた。使われなくなった古い木造の私立幼稚園を見つけ、町の景色を残しながら創作は続けられていく。熟練した手わざの持ち主たちの、心の落ち着く仕事場。そこから生まれる心落ち着く手まり。**ナガ**

愛媛

造船現場にある"無事"を見守る思いと、
踏みしめ使われ作られていく
愛おしい形を伝える。

Vintage 2way Design Bench ¥86,900／瀬戸内造船家具／吉野聖（ConTenna）、
村上賢司（浅川造船）、一ノ瀬寿人（オズマピーアール）

愛媛県の地場産業である造船業の現場で、職人たちが足場板に使っていた古板材を
アップサイクルするプロジェクト。毎年、何万トンと廃棄、焼却処分されてきた造船場の
古材で家具を生み出している。厚さ50ミリもある古材の板は、使われていた場所や環境
によって風合いが異なり、オリジナリティーのある作品に仕上がる。

造船、建設、PRの職種の違う仲間が集まり、収益重視の創作ではない、普段やりたかっ
た自分たちの足元にある素材への感謝や、素材が長く続くことを話し合ってはじまった
ものづくりは、単なる廃材などのリサイクル行為を超えて、それを手にする生活者との対
話からも、結果として自分たちに返ってくるものを多く感じることに。命を守って朽ちて引
退した足場板からの感謝。ナガ

高知

湧き水に触れるたびに感じる
美しいと思う気持ち。
その気持ちで和紙をつくる。

ランプシェード ¥250,000／ロギール・アウテンボーガルト（Washi studio「かみこや」）
／ロギール・アウテンボーガルト

Washi studio「かみこや」オーナー、ロギール・アウテンボーガルトは、1980年に来日、
各地の手すき和紙工房を見学、翌年には旧伊野町にて紙すき修行と楮の自家栽培を始
めた。ランプシェードは光が透ける和紙の特徴を活かし、「人と自然のつながりを柔ら
かい光の空間で感じてほしい」と、楮などの繊維も見えるようにつくられている。

豪雨の後などには、工房に引いている水の流れが悪くなります。そのたびに山に上がっ
て水道設備の点検をしなければいけません。でも水源地に行く途中に水源の森や沢を
見て、湧き水に触れるたびに、その美しさに心を奪われてしまいます。和紙の美しさがこ
の自然から来ているのだと改めて実感する瞬間です。工房に降りるときには、かえって
すがすがしい気持ちになっています。ナガ

福岡

移動に耐え、軽くて丈夫で、そして、
屋台の味や世界が
しんみりと町に灯るデザイン。

博多屋台椅子　¥36,300 ／杉工場

杉工場は130年以上の歴史を持ち、学校用家具などの丈夫な製品をつくってきた。「博
多屋台椅子」は、博多の食文化である屋台で長年使われてきたであろう長椅子を元に、
その原型の製法を再現。構造が見えるシンプルなつくりなので、持ち主が釘を打ち直し
たり、塗装したりと、手入れすることで使い続けることができる。

雨風に耐え、何人ものいろんな人が座り、移動のためにひっくり返されて屋台に積まれ
移動する。できれば片手でひょいっと持ち上げられ、また、降ろせて、地面に着けばがっ
ちり根を下ろすように構える。材もそこを考えたものに。つまり、無駄な主張がなく、軽
くても不安がない構造。その木組みがそのまま屋台の絵となり、懐かしみ、味を思い出
し、座りたくなる形。🅝🅖

佐賀

土地のなだらかさと風と炎と熱。
川の土手に夜明け、
家族で集まり見守るスポーツ。

佐賀インターナショナルバルーンフェスタ／佐賀バルーンフェスタ組織委員会／例年10月
末〜11月頭の5日間

100機を超える熱気球が参加するアジア最大の熱気球の国際大会。国内外から集まる
バルーニストによって、世界トップレベルの競技飛行が繰り広げられる。大会期間中は
キャラクターバルーンをはじめ、日没後の暗闇の中、バーナーでライトアップされたバ
ルーンがつくる幻想的な世界が生まれる夜間係留など様々なイベントが開催される。

風が強いと競技は中止になる。それを市民は分かっている。人間によるスポーツだけれ
ど、与えられるのは炎による熱と風を読む経験。世界中から集まるバルーンの華やかさ
と、静かに空に上がっていく様子は、自然の中にいる人間の小ささを感じさせる。空を
見上げる。風を想う。そのためのゆったりとした形、色、動き。市民の祈りでつくられる
自然とのお祭り。ナガ

長崎

絵筆の息遣いを
続けていくために考えられた模様。

ブルーム マグ リース　¥3,300 ／白山陶器／白山陶器デザイン室

1779年、波佐見町にて創業、デザインから成型、絵付、施釉、焼成などの工程を一貫
して行う。「時代を超えてスタンダードであり続ける器づくり」を目指している。「ブルー
ム」シリーズは、多用性を重視したニュートラルな形状に、筆の特性を生かし、植物をモ
チーフとしたパターンが手で描かれている。シリーズ誕生から10年を超える。

つくる人の思い。食卓に並ぶ料理が盛られた器の景色をしっかり考えたり、食べやすさ
を思ったり。その思いを使う人に伝えるには、ひとつひとつ絵筆で描き、思いを実際の
手で込めていくのが素直なことなのです。ひとつひとつ丁寧に描いた花の絵が、暮らし
や食卓を明るく元気にする。普通に望むそんなことを、普段から思い、つくる。**ナガ**

熊本

栄養や心を満たそうと考えられた
一杯のラーメン。
各店でスープを仕込むなど、
家庭的な料理づくりが滲み出て、
人が集まってくる。

桂花ラーメン ロゴタイプ／桂花拉麺

豚骨ラーメン発祥の地・福岡県久留米市から、熊本市とその周辺に伝播した熊本ラーメン。1955年創業当初と変わらず、栄養満点になるようにと、たっぷりの生キャベツや柔らかな豚角煮「太肉」にマー油を加える味が特徴。「食を通じておなかも心もいっぱいに」をスローガンに、ラーメンを通して人を元気にすることを大切に考えている。

多店舗でしかも営業時間など、各店それぞれに小さな違いを持ち、スープもセントラルキッチンで一括調理しないその家庭的な考えは、長く働き続けるスタッフを多く持つほどに健やか。積極的な経営改善をする中でも、そこは意識して続け残している。同じ看板でありながら、ひとつひとつの店が一人一人の人間のように見える家庭料理のような愛情あふれる食事。ナガ

大分

特別ではなく、ふだん。
暮らしの中に取り入れたいとの気持ちを
普段使いのものに。

由布院玉の湯　包装紙／玉の湯／安野光雅

1953年、禅寺の保養所としてスタートした「由布院玉の湯」は、雑木林の三千坪の敷地に14棟の離れが点在する宿。朝霧などの幻想的な光景や、四季折々の自然を感じられる。画家の安野光雅に看板を書いてもらったことをきっかけに、包装紙のデザインも依頼。ジャムや陶器などを販売する、施設内の売店で使われている。

文豪の生活をよく知っている出版社の方から勧められた安野光雅さんの絵。懐かしさやほっとする空気感、そして何よりも清潔な様子。食を含めた地域性などを話して、それらの上質な暮らしを「自分の暮らし」に取り入れたいというお客さんに向けて表現してもらったという。特別な玉の湯の様子の中に、普段の生活を考えてもらいたいと30年以上も長きにわたって使っている。ナガ

宮崎

米と芋を自分で育てる。その収穫の喜びで
醸<ruby>醸<rt>かも</rt></ruby>し、蒸留する。カスは再び畑へ。
その巡りができなくなっても、続ける。

夏のまんねん 720ml ¥1,210 ／渡邊酒造場／村尾健二（Latso graphics plus）

1914年創業の酒蔵。原料のサツマイモは農薬利用を最低限に抑え自家栽培し、その後の蒸留、瓶詰めまでを蔵人が自ら行う。「夏のまんねん」は夏こそ焼酎を楽しく飲んでほしいと、すっきりとした味になるサツマイモ品種「ダイチノユメ」が主原料。地元の焼酎らしくアルコール度数20％に仕上げ、オンザロックを前提につくられている。

農家として自分で畑を持ち、耕し、米と芋をつくる渡邊幸一朗さん。焼酎づくりで出るカスも、次の収穫のために肥料として散布してきましたが、廃棄物処理法の施行によりそれができなくなると、自ら処理プラントをつくり、循環農業を続けている。土地の力を信じてできる気持ちのこもった材料たちは、美味しく健やかな焼酎となって人々の元へ。巡り巡る想い。ナガ

鹿児島

宇宙のリズム。森羅万象の秩序からの
繋がり、繁栄していくしるし。

SHIROYAMA HOTEL kagoshima　ロゴマーク／城山観光

標高108mの高台・城山に建ち、桜島と錦江湾の絶景を望むホテル。展望露天温泉や、
県内の旬の食材を堪能できるレストランなども楽しめる。2018年には創業70周年を迎
え、ホテル名を「城山観光ホテル」から「SHIROYAMA HOTEL kagoshima」に変更。
城山に多くある楠をシンボルツリーとして、ロゴマークに採用している。

一度見たら忘れられない独特な造形。森羅万象の秩序の基本とされる3つの葉と7つ
の円。桜島と暮らすその大型ホテルは、どこか独特な雰囲気があります。人の手が入ら
ないことで守られてきた神聖な城山の森からの気配なのでしょうか。どっしりして、細や
かで、優雅。昨今のさらりとした図案から考えても、強い個性を自覚した意識を感じら
れます。どこかの星から頂いたような。ナガ

沖縄

工房を沖縄の地に立ち上げるときの想い。
誰かの日常にそっと寄り添い、
続いていく形を想う。

6寸和皿 O紋 ¥2,800 ／井口工房／井口春治

陶芸家・大嶺實清に師事し、2012年に読谷村にて独立。薄く挽かれた器と独自の発想
で生まれる柄が特徴。伝統的な柄を意識してつくられる「やちむん」が多いなか、井口
春治が高校時代から考えていたデザインを用いて、様々な食文化に対応する器として手
がける。使うときに緊張感を与えず、日用品として喜ばれるものづくりを心がけている。

自身の工房を立ち上げようと、未来への不安の中、明るく健やかな日々を築く事が出来
るようにという希望の光を想ってものづくりに取り組んでいた井口さん。誰かの想いを
受け止めて日常にそっと寄り添える、そんな器づくりを心がけ考えた「X紋*」はご本人の
意に反して「灯火のよう」と評判となり、工房の未来を先導する灯となっている。自分の
創意が反射して、自分を照らしてくれた感謝の気持ち。ナガ　　　　　　＊現在のO紋

民藝作家の
棟方志功も、芹沢銈介も、
グラフィックデザイナーでも
ありました。

マーケティングも物流改革も、お取り寄せも通販サイトもなかった時代、商品パッケージたちは、デザイナーとも言われぬ優れた絵描きのような人々によって、店頭でのお客さんの顔の見える距離を観察しながら健やかに生まれ、大切に使われていました。ものづくりに健やかさが取り入れられていくこれからのデザインにおいて、参考にしたい心や祈りのようなものがあるデザインたちを見てみましょう。

ひとくち栗ようかん／桜井甘精堂 ／パッケージ／鳥居敬一

御池煎餅／亀屋良永／ラベル／棟方志功

元祖福神漬木樽入／酒悦／掛け紙／芹沢銈介

35度 特吟六調子／六調子酒造／ラベル・化粧箱／芹沢銈介

ろくちょうし黒／六調子酒造／ラベル・化粧箱／芹沢銈介

ろくちょうし赤／六調子酒造／ラベル・化粧箱／芹沢銈介

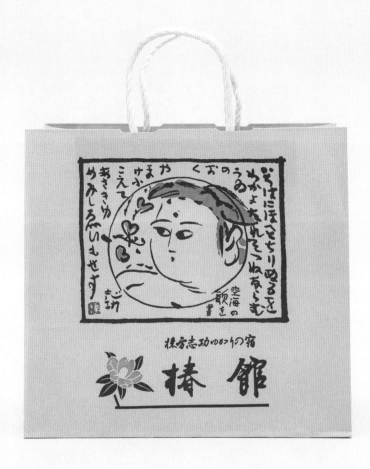

浅虫温泉 椿館／紙袋／棟方志功

浅虫温泉 椿館／包装紙／棟方志功

[左頁] やまと民芸店／紙袋／棟方志功　　[右頁] やまと民芸店／包装紙／芹沢銈介

[左頁]つがる工芸店／包装紙／棟方志功　　[右頁]湯町窯／紙袋／棟方志功

くるみクッキー／光原社／パッケージ／小田中耕一

左から、カステラ、和風クッキー／御菓子所 高木／パッケージ／柚木沙弥郎

えのきだ窯／包装紙／棟方志功

鈴廣かまぼこ／紙袋／森川章二

TAKUMI
8-4-2,GINZA,TOKYO
JAPAN
中 央 区
銀座 8 － 4 － 2
TEL. 3571 2017

銀座たくみ／包装紙／芹沢銈介

左から、ナッツロール、モカロールまたはレモンロール／開運堂／パッケージ／柚木沙弥郎

御座候／紙袋／小田中耕一

[左頁]つのせ／包装紙／棟方志功　　[右頁]純米大吟醸 原酒 万年蔵／白牡丹酒造／ロゴ／棟方志功

十万石ふくさや／包装紙（原画は黒）／棟方志功

[左頁]彩雲堂／包装紙（原画）／棟方志功　　[右頁]鈴廣かまぼこ／紙袋／森川章二

あげかま竹皮包／鈴廣かまぼこ／掛け紙／森川章二

左から、謹上蒲鉾 紅、特上蒲鉾 白／鈴廣かまぼこ／パッケージ／森川章二

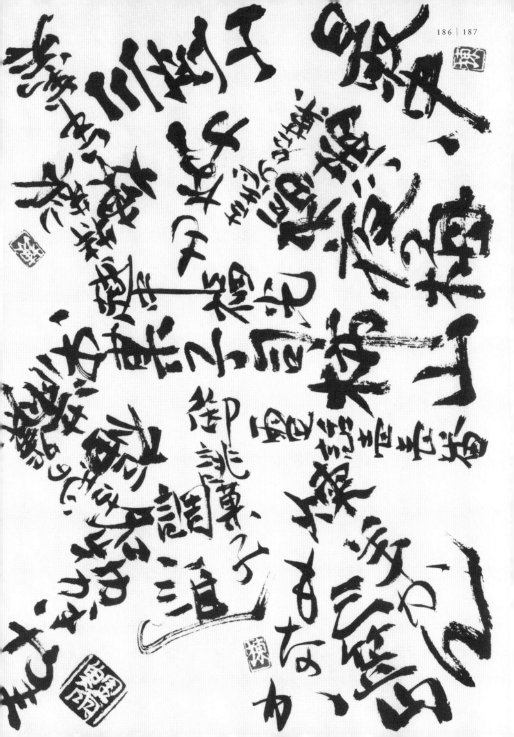

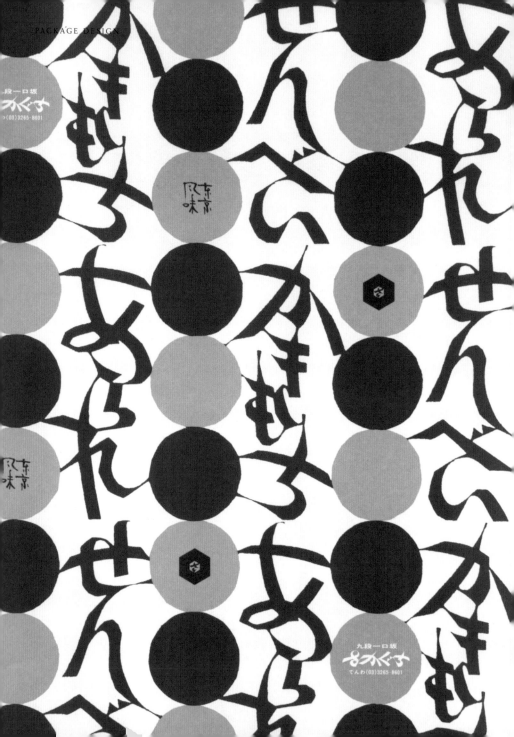

九段一口坂 さかぐち／包装紙／鳥居敬一

吟醸純米 遊天／弘前銘醸／ラベル・化粧箱／棟方志功

会津葵／掛け紙／岡村吉右衛門

こしのしらがき
越乃白柿／フルーツよしおか／ラベル／棟方志功

竹屋製菓／包装紙／棟方志功

亀の井 亀井堂本家／包装紙／棟方志功

民藝に時代が近づいてきた。
今、本質を伝えるとき。

林口砂里さんはアートやデザイン、音楽、工芸、仏教に造詣が深く、近年は民藝にも関心を寄せています。林口さんとナガオカケンメイは民藝の専門家ではないからこそ、フランクに民藝について語り合える同志のような存在でもある。そんな二人が"民藝的デザイン"をテーマに、民藝思想や仏教とのつながり、これからのものづくりの在り方など、考えてみました。

林口砂里　エピファニーワークス代表・「富山県西部観光社 水と匠」プロデューサー
ナガオカケンメイ　デザイン活動家・D&DEPARTMENT ディレクター

ナガオカケンメイ（以下、ナガオカ）　今回の展覧会で展示している
47 都道府県の民藝的なデザインは、僕の直観で選びました。この
企画をしたのは、パッケージデザインの在り方とともに、ものづく
りの考え方も変わりつつあると思ったからです。

　たとえば、地方で暮らして、地域の風土を身体に染みこませな
がら、その土地らしいパッケージデザインを生み出し、注目されて
いるデザイナーが増えてきています。商品にまつわるエピソードを
基にデザインしていて、少しあか抜けなかったりもするけど、むし
ろそれが格好いいと評価されるようにもなっている。今までは、で
きるだけ商品を良く見せようと誇張し、マスメディアからの情報に
生活者も反応して商品を購入していましたが、それとは逆。商品
が生まれた場所に足を運び、その場で買って生産者ともつながる
という流れが生まれていますよね。そんな時代に、民藝の思想は
ものづくりやデザインに生かすことができると思うんです。

林口砂里（以下、林口）　ケンメイさんはご自身の note で「デザイ
ナーがコンセプトをつくる時代は終わった」と書かれていましたよ
ね。たしかに、ここ数十年はブランディングがブームで、コンセプ
トを基にデザインすることが求められていたと思います。しかし、
さきほどケンメイさんも言われていたとおり、今はものが生まれた
場所との関係性を読み解き、それにふさわしいデザインが評価さ
れるようになってきた。こうした動きに、若いデザイナーがいち早

く反応している印象があります。

　その文脈を解説した上で、ケンメイさんは今回、民藝的なデザインというテーマで企画されたわけですよね。とても勇気がいることだと思います。グラフィックデザイナーという仕事のスタンスが変わる可能性があると、グラフィックデザイナーが自ら発信するわけですから。だけど、それでも発言されるのは、きっとケンメイさんは、デザインのことを広く深く考えているからですよね。デザインで人の暮らしや世界をより良くすることを本気で目指されているから、ほっとけないんでしょうね。

ナガオカ　経済優先の社会でなくなりつつある今、民藝的なものづくりが今後、重要になってくると思っています。だけど、民藝運動には専門的な領域があるんですよね。僕は、みんなで民藝の輪郭をとらえつつ、民藝の中と外を見ながら、これからのものの生まれ方を一緒に考えよう、というスタンスです。民藝は長年にわたって研究をつづける専門家の方々がいるので、むやみに近づくのはアブナイという意見もなくはない。だけど、こんな時代だからこそ、ちょっと無邪気に無礼講でもいいかなって（笑）。

林口　ケンメイさんらしくていいですね。そもそも、民藝や仏教の考え方自体は、根源的で普遍的なもの。だけど、時代によって注目されるときと、そうじゃないときがある。つまり、必要となると時

代が寄ってくるんです。少し前までは、離れていたのに、今、再び時代に必要とされてきていると実感しています。離れてみないと分からないこともありますからね。民藝や仏教に注目が集まっていることは、本質を伝えるチャンス。ちゃんと近づけて伝えていきたい。そう思うようになったのは、ここ最近。2019年頃からなんですよ。

ナガオカ　え、そんな最近なんですか？　てっきり、20年くらい前から研究されているのかと思っていました。

林口　人の価値観はそれぞれ違うから、「こういうことっていいですよね」と、私は自分の意見を押しつけるようなことはしないと決めていました。性格的にも苦手なんです。ずっと、自分でタガをはめていたのですが、最近、完全にはずれて、あふれ出ています（笑）。

ナガオカ　たしかに、林口さんから「それは違いますよ」って言われたことないかも。

直観できる感受性を持つこと。

ナガオカ　林口さんは、お寺でイベントなども開催していますよね。

そういった活動を見て、僕が発見したことの一つは、かつて人々は信仰や祈り、禅など、昔から大切にしているものがあり、それをベースにしながら健やかな暮らしを営んでいたこと。しかし、経済成長を目指し、時間とスピードの感覚が狂ってしまい、ものに対する考え方や、手に入れ方、使い方などがぐちゃぐちゃになり、健やかさが見失われてしまった。それが、今、戻ってきているんだと思います。

林口　おっしゃるとおり。私は民藝のことだけを伝えていこうとは、思っていません。私の軸は仏教で、それを生きるより所にしています。みなさん、いろんな軸を持っていますよね。お金の方もいれば、健やかなものづくりやデザイン、恋人やアイドルなど。私は、それが仏教なんです。

林口さんが企画・運営でかかわった、「ごえんさんエキスポ」京都・西本願寺（2017年）。若手僧侶と交流できる仏教ブースや、僧侶DJの音楽を楽しめるブースや、京都の料亭が参加するマルシェブースなど、盛りだくさんの2日間。

ただ、仏教は民藝と一緒で、体得するものなので、感覚を伝えるのが難しい。そんなとき、民藝はものを通して仏教の思想が伝えられることに気づいたんです。つまり、民藝を通じて仏教に親しんでいただきたい。宗教的なものに触れていただくことが、私にとって民藝を伝える一番の目的です。とはいえ、民藝の思想や体得する感覚的なことを、仏教の言葉に置き換えなくていいと思っています。

　たとえば、ケンメイさんが今回、展示品を直観で選べるのは、存在感やオーラのような目には見えないものを商品から感じ取られているからだと思うんです。宗教的には「仏様からのはたらきかけ」と言うのですが、言葉は何でもよくて。それよりも大切なのは、感覚的に受け取れること。それさえできればいいと思うんです。

ナガオカ　民藝を知るために、林口さんにお寺に連れていってもらったとき、最初はちょっと驚きました。逃げ出さなかったのは、最初に訪れた富山県・福光にある光徳寺さんには、世界各国の工芸品が展示されていたり、雑誌『工藝』が全巻揃っていたりしたから。ここは自分がいられる場所かもしれないと、親和性を感じたんです。お寺とデザインや民藝、ものづくりの思想などが結びついていることは、もちろん今は分かっています。しかし、当時の僕のように、今も理解していない人は少なくないと思います。

林口　そうですよね。民藝の魅力は、ものと思想を持っていること。ものを切り口にアクセスできるから広がったとも言えますが、その代わりに思想が抜け落ちてしまった。形だけの民藝になってしまったので、それを取り戻したい。そうしないと、民藝の概念自体がなくなってしまう可能性があるし、誤解されたまま思いがけない方向に進んでしまう場合もあるはず。

ナガオカ　今は思想を守る人と、ものを守る人がいますよね。その両方が凝り固まっていて、融合していないように感じます。それをどうほぐして混ぜていくと、ものづくりをするときの健やかさになるか。

林口　私はまだ民藝のことを知らない人たちに、一から伝えていくことにも力を入れています。私はとなみ民藝協会の会員ですが、これからも、しがらみも気にせず、自由に発言して行動していくつもりです。ケンメイさんも、思ったようにやればいいと思います。

カタチだけではない美しさ。

林口　宗教とものを結びつけた思想は、柳宗悦独自の発見です。

しかし、柳宗悦の活動も、書き残していることも、実は柳の独創ではなく、彼だけが言っていることではありません。東洋を中心に世界中で言われてきたことを、柳が生きた時代に自分の言葉で書き記したこと。彼は魅力的な文章を書くため、とても面白い。だけど、新しいことを言っているわけではないんです。何を言っているかといえば、仏教の禅の話だったり、浄土真宗の他力という考え方だったりするんです。そんな民藝と仏教の相関図や文脈図のようなものをつくり、伝えていけたらいいなと思っているんです。誰がどう伝えていくのがいいんだろう。

ナガオカ　富山県内のお寺の研究道場をチームラボが改修して、僕らがカフェやショップ、宿泊施設を運営する計画も楽しみですね。民藝の思想や宗教が学べる「暮らしの道場」のような場が完成すれば、なにかが変わっていくような気がしています。

林口　そうですね。その改修のことと、もうひとつ砺波の伝統的家屋「アズマダチ」建築の1軒をオーベルジュ*にする計画も進行中です。いずれも、民藝や仏教が空間やアクティヴィティで体験できる場を目指しています。

ナガオカ　そういった場ができれば、お寺や民藝に対する見方も少しずつ変わるはず。企業から依頼されたデザイン案件について

考えるとき、マーケティング会社ではなくお寺に行ってゆっくり考えよう、といった流れができたらいいですね。

林口　これからのデザインやものづくりの在り方について、実はケンメイさんと以前話しているんですよ。そのときのメモをみると、民藝のアップデートや拡張、ロングライフデザインと民藝の融合、心と体の糧となること、思想や概念があること、サスティナブルのことなどを語り合っていて、今、ケンメイさんや私が取り組んでい

砺波アズマダチ古民家。富山・砺波平野にある集落「散居村（さんきょそん）」の風景。農地の中に点在する家屋敷「アズマダチ」は、風や日差しをさえぎるためのカイニョと呼ばれる屋敷林で囲まれ、風向きや浄土真宗の仏壇の設置場所に合わせて、どの家の正面も東向き。自然と人が一体となってつくり出した、美しい風景が広がっている。
撮影：田中祐樹

ることの基本的なことが、ほとんど含まれています。経済について
も、オルタナティブな経済システムとものづくりを一緒に考えてい
くべきだよね、といった話もしていました。

　私はケンメイさんが示す「今の民藝」を基に、ものづくりはもち
ろん、経済や政治の仕組みについても考えてみたい。そのキーワー
ドは「美しさ」。民藝の思想でいう美しさは、健やかさでもある。
そんな民藝的な思想をきっかけに、「美しい経済」や「美しい政治」
に向かっていく、最初の一歩になったらいいなと思っています。

＊ オーベルジュ　宿泊施設のあるレストラン。

林口砂里　Sari Hayashiguchi
富山県高岡市出身。となみ民藝協会会員。東京デザインセンター、P3 art and
environment 等での勤務を経て、2005 年エピファニーワークスを立ち上げる。
2012 年より拠点を富山県高岡市に移し、地域のものづくり・まちづくり振興プロ
ジェクトにも取り組んでいる。2019 年には、富山県西部地区の地域資源を活かし
て活性化を図る観光地域づくり法人「富山県西部観光社 水と匠」のプロデューサー
に就任。　epiphanyworks.net

ナガオカケンメイ　Kenmei Nagaoka
1965 年生まれ。デザイン活動家。D&DEPARTMENT ディレクター。すでに世
の中に生まれたロングライフデザインから、これからのデザインの在り方を探り続
ける。2009 年、旅行文化誌『d design travel』を創刊。2012 年、日本初の地
域デザインミュージアム「d47 MUSEUM」を発案、館長。2013 年毎日デザイン
賞受賞。「LONG LIFE DESIGN 2 祈りのデザイン展」企画・構成を手がける。
d-department.com　nagaokakenmei.com

47都道府県の日本を
一度に眺めるような、
日本初の物産MUSEUM。
毎回ひとつのテーマで
47の日本を調べ集め、
展示して、日本を感じていただく
活動をしています。

d47 MUSEUM　これまでの展示

はじめて東京・駒場にある日本民藝館に行った時のことです。ひとしきり、焼き物や漆器、織物などを見た帰りに、一階に売店を発見し入りました。その瞬間、あるものを見て、僕の中で民藝に対して痛烈な興味が芽生えました。そこにあったステンレスのボールです。民藝運動の創設者、柳宗悦の息子、柳宗理のデザインしたそれは、「なぜ、ここに置かれているのか」つまり、「これも民藝と呼んでいいのか」とする興味です。

それから柳宗悦、宗理の本などを読み、電車のアナウンスも民藝だし、飛行機のプロペラも民藝‥‥。

果たして、民藝とは何なのだろうか、思想なのか機能美なのか、いちデザイナーとして本当にワクワクしたことを思い出します。それから20年が経ち、僕はあの瞬間の影響から、思想でも形でも有名無名でもない「時間が証明したデザイン」にたどり着きました。「ロングライフデザイン」です。そしていつか、民藝思想にある「祈るような心からの創作」に、ロングライフデザインになる共通点を感じはじめ、ロングライフデザインはもしかしたら民藝的かも

214 | 215

しれないし、民藝とは、これからの長く修理をして使い続けたいと思う生活者のためのものづくり、デザイン思想になっていくのではと考え、この企画展で自分自身、確かめてみたいと思うようになりました。

民藝を取り巻く人々には、いくつかの立ち位置がありました。そこは否定するものではなく、そこも含め、僕は次の時代にデザインに関わる全ての人々にとって、民藝思想は、素晴らしい創作の軸にすべき考え方だと思いました。何かと誤解の多い民藝ですが、それだけに奥深く、この企画展をきっかけに、新しいもののデザインのやり方をみんなで考えられたらと思います。

最後に、大きなきっかけとなった富山県での民藝夏期学校で出会った松井健さん、太田浩史住職、そして林口砂里さんに感謝を申し上げます。ありがとうございました。

d47 MUSEUM 創設者
D&DEPARTMENT ディレクター
デザイン活動家

ナガオカケンメイ

LONG LIFE DESIGN 2

祈りのデザイン
47 都道府県の民藝的な現代デザイン

展覧会

会期	2020年12月4日–2021年2月8日
会場	d47 MUSEUM
主催	D&DEPARTMENT PROJECT
企画・構成	ナガオカケンメイ
事務局	黒江美穂、長島加奈恵、渡邉壽枝
広報	松添みつこ、清水睦
協力	千葉さつき

公式書籍

アートディレクション	ナガオカケンメイ
デザイン	高橋恵子、村田英恵、加瀬千寛
表紙作品	倉敷ノッティング
本文・編集	西山薫、黒江美穂、田邊直子
撮影	山﨑悠次
	p.16〜30、p.34、p.48〜66、p.82〜88、p.92〜100、p.112〜116、p.130〜140、p.144、p.148〜194、p.208〜209

2021年2月10日　初版　第1刷発行

企画・構成	ナガオカケンメイ
発行人	ナガオカケンメイ
発行所	D&DEPARTMENT PROJECT
	〒158-0083
	東京都世田谷区奥沢8-3-2
	Tel 03-5752-0097
	Fax 03-5758-3755
	www.d-department.com
印刷・製本	株式会社シナノ印刷

ISBN　978-4-903097-72-5　C0072

本書の掲載情報
＊すべて2020年11月現在
＊価格はメーカー希望小売価格、税込。

d47 MUSEUM　公式書籍シリーズ
【内容】
d47 MUSEUM 事務局
Tel 03-6427-2301
【販売流通】
D&DEPARTMENT PROJECT
Tel 03-5752-0520
【取扱】
D&DEPARTMENT 各店、
D&DEPARTMENTネットショップ(www.d-department.com)、
Amazon、全国主要書店。

LONG LIFE DESIGN 2
祈りのデザイン展
47都道府県の民藝的な現代デザイン

開催　2020年12月4日──2021年2月8日
会場　渋谷ヒカリエ8F　d47 MUSEUM
主催　D&DEPARTMENT PROJECT

本書は、同展覧会 公式書籍として制作